Entre a Terra
e o Céu

Francisco Cândido Xavier

Entre a Terra e o Céu

Pelo Espírito
André Luiz

FEB

Copyright © 1954 *by*
FEDERAÇÃO ESPÍRITA BRASILEIRA – FEB

27ª edição – 16ª impressão – 3 mil exemplares – 6/2025

ISBN 978-85-7328-805-6

Todos os direitos reservados. Nenhuma parte desta publicação pode ser reproduzida, armazenada ou transmitida, total ou parcialmente, por quaisquer métodos ou processos, sem autorização do detentor do *copyright*.

FEDERAÇÃO ESPÍRITA BRASILEIRA – FEB
SGAN 603 – Conjunto F – Avenida L2 Norte
70830-106 – Brasília (DF) – Brasil
www.febeditora.com.br
editorial@febnet.org.br
+55 61 2101 6161

MISTO
Papel | Apoiando o manejo florestal responsável
FSC® C112836

Pedidos de livros à FEB
Comercial
Tel.: (61) 2101 6161 – comercial@febnet.org.br

Adquirindo esta obra, você está colaborando com as ações de assistência e promoção social da FEB e com o Movimento Espírita na divulgação do Evangelho de Jesus à luz do Espiritismo.

Dados Internacionais de Catalogação na Publicação (CIP)
(Federação Espírita Brasileira – Biblioteca de Obras Raras)

L953t   Luiz, André (Espírito)

     Entre a Terra e o Céu / pelo Espírito André Luiz; [psicografado por] Francisco Cândido Xavier. – 27. ed. – 16. imp. – Brasília: FEB, 2025.

     304 p.; 21 cm – (Coleção A vida no mundo espiritual; 7)

     Inclui índice geral

     ISBN 978-85-7328-805-6

     1. Espiritismo. 2. Obras psicografadas. I. Xavier, Francisco Cândido, 1910–2002. II. Federação Espírita Brasileira. III. Título. IV. Coleção.

CDD 133.93
CDU 133.7
CDE 00.06.02

Sumário

Entre a Terra e o Céu 7
1   Em torno da prece 9
2   No cenário terrestre 13
3   Obsessão 19
4   Senda de provas 25
5   Valiosos apontamentos 31
6   Num lar cristão 37
7   Consciência em desequilíbrio 45
8   Deliciosa excursão 53
9   No Lar da Bênção 61
10 Preciosa conversação 67
11 Novos apontamentos 75
12 Estudando sempre 81
13 Análise mental 87
14 Entendimento 93
15 Além do sonho 101
16 Novas experiências 107
17 Recuando no tempo 113

18	Confissão	119
19	Dor e surpresa	125
20	Conflitos da alma	131
21	Conversação edificante	139
22	Irmã Clara	145
23	Apelo maternal	153
24	Carinho reparador	161
25	Reconciliação	169
26	Mãe e filho	175
27	Preparando a volta	181
28	Retorno	189
29	Ante a reencarnação	195
30	Luta por renascer	203
31	Nova luta	209
32	Recapitulação	219
33	Aprendizado	227
34	Em tarefa de socorro	237
35	Reerguimento moral	247
36	Corações renovados	255
37	Reajuste	263
38	Casamento feliz	271
39	Ponderações	279
40	Em prece	285
Índice geral		291

Entre a Terra e o Céu

Desta história, recolhida por André Luiz entre a Terra e o Céu, destacam-se os impositivos do respeito que nos cabe consagrar ao corpo físico e do culto incessante de serviço ao bem, para retirarmos da romagem terrena as melhores vantagens à vida imperecível.

Neste livro, não somos defrontados por qualquer situação espetaculosa. Nem heróis, encarnando virtudes dificilmente acessíveis. Nem anjos inabordáveis.

Em cada capítulo, encontramos a nós mesmos, com nossos velhos problemas de amor e ódio, simpatia e desafeto, pela cristalização mental em certas fases do caminho, na penumbra de nossos sonhos imprecisos ou na sombra das paixões que, por vezes, nos arrastam a profundos despenhadeiros.

Em quase todas as páginas, temos a vida comum das almas que aspiram à vitória sobre si mesmas, valendo-se dos tesouros do tempo, para a aquisição de luz renovadora.

Aqui, os quadros fundamentais da narrativa nos são intimamente familiares...

O coração aflito em prece.

A mente paralisada na ilusão e na dor.

O lar varrido de provações.
A senda fustigada de lutas.
O desvario do ciúme.
O engano da posse.
Embates do pensamento.
Conflitos da emoção.

E sobre a contextura dos fatos puros e simples paira, por ensinamento central, a necessidade de valorização dos recursos que o mundo nos oferece para a reestruturação do nosso destino.

Em muitas ocasiões, somos induzidos a fitar a amplidão celestial, incorporando energia para conquistar o futuro; entretanto, muitas vezes somos constrangidos a observar o trilho terrestre, a fim de entender o passado a que o nosso presente deve a sua origem.

Neste livro, somos forçados a contemplar-nos por dentro, no chão de nossas experiências e de nossas possibilidades, para que não nos falhe o equilíbrio à jornada redentora, no rumo do porvir.

Dele surge a voz inarticulada do Plano Divino, exortando-nos sem palavras:

— A Lei é viva e a Justiça não falha! Esquece o mal para sempre e semeia o bem cada dia!... Ajuda aos que te cercam, auxiliando a ti mesmo! O tempo não para, e, se agora encontras o teu "ontem", não olvides que o teu "hoje" será a luz ou a treva do teu "amanhã"!...

Emmanuel
Pedro Leopoldo (MG), 23 de janeiro de 1954.

1
Em torno da prece

No Templo do Socorro,[1] o ministro Clarêncio comentava a sublimidade da prece, e nós o ouvíamos com a melhor atenção.

— Todo desejo — dizia convincente — é manancial de poder. A planta que se eleva para o alto, convertendo a própria energia em fruto que alimenta a vida, é um ser que ansiou por multiplicar-se...

— Mas todo petitório reclama quem ouça — interferiu um dos companheiros. — Quem teria respondido aos rogos, sem palavras, da planta?

O venerando orientador respondeu tranquilo:

— A Lei, como representação de nosso Pai Celestial, manifesta-se a tudo e a todos, por meio dos múltiplos agentes que a servem. No caso a que nos reportamos, o Sol sustentou o vegetal, conferindo-lhe recursos para alcançar os objetivos que se propunha atingir.

---

[1] Nota do autor espiritual: Instituição da cidade espiritual em que se encontra o autor.

E, imprimindo significativa entonação à voz, continuou:
— Em nome de Deus, as criaturas, tanto quanto possível, atendem às criaturas. Assim como possuímos em eletricidade os transformadores de energia para o adequado aproveitamento da força, temos igualmente, em todos os domínios do Universo, os transformadores da bênção, do socorro, do esclarecimento... As correntes centrais da vida partem do Todo-Poderoso e descem a flux, transubstanciadas de maneira infinita. Da luz suprema à treva total, e vice-versa, temos o fluxo e o refluxo do sopro do Criador, por intermédio de seres incontáveis, escalonados em todos os tons do instinto, da inteligência, da razão, da Humanidade e da angelitude, que modificam a energia divina, de acordo com a graduação do trabalho evolutivo, no meio em que se encontram. Cada degrau da vida está superlotado por milhões de criaturas... O caminho da ascensão espiritual é bem aquela escada milagrosa da visão de Jacó, que passava pela Terra e se perdia nos céus... A prece, qualquer que ela seja, é ação provocando a reação que lhe corresponde. Conforme a sua natureza, paira na região em que foi emitida ou eleva-se mais, ou menos, recebendo a resposta imediata ou remota, segundo as finalidades a que se destina. Desejos banais encontram realização próxima na própria esfera em que surgem. Impulsos de expressão algo mais nobre são amparados pelas almas que se enobreceram. Ideais e petições de significação profunda na imortalidade remontam às alturas...

O mentor generoso fez pequeno intervalo, como a dar-nos tempo para refletir, e acentuou:

— Cada prece, tanto quanto cada emissão de força, se caracteriza por determinado potencial de frequência, e todos estamos cercados por Inteligências capazes de sintonizar com o nosso apelo, à maneira de estações receptoras. Sabemos que a Humanidade universal, nos infinitos mundos da grandeza cósmica, está constituída pelas criaturas de Deus, em diversas idades e posições... No reino espiritual, compete-nos considerar igualmente os princípios da herança. Cada consciência, à medida que se aperfeiçoa e se santifica, aprimora em si qualidades do Pai Celestial, harmonizando-se, gradativamente, com a Lei. Quanto mais elevada a percentagem dessas qualidades num espírito, mais amplo é o seu poder de cooperar na execução do Plano Divino, respondendo às solicitações da vida, em nome de Deus, que nos criou a todos para o infinito amor e para a infinita sabedoria...

3   Quebrando o silêncio que se fizera natural para a nossa reflexão, o irmão Hilário perguntou:

— Contudo, como interpretar o ensinamento quando estivermos à frente de propósitos malignos? Um homem que deseja cometer um crime estará também no serviço da prece?

— Abstenhamo-nos de empregar a palavra "prece", quando se trate do desequilíbrio — aduziu Clarêncio, bondoso —, digamos "invocação".

E acrescentou:

— Quando alguém nutre o desejo de perpetrar uma falta está invocando forças inferiores e mobilizando recursos pelos quais se responsabilizará. Pelos impulsos infelizes de nossa alma, muitas vezes descemos às desvairadas vibrações da cólera ou do vício e, de semelhante posição, é fácil cairmos no enredado poço do crime, em cujas furnas nos ligamos, de imediato, a certas mentes estagnadas na ignorância, que se fazem instrumentos de nossas baixas realizações ou das quais nos tornamos deploráveis joguetes na sombra. Todas as nossas aspirações movimentam energias para o bem ou para o mal. Por isso mesmo, a direção delas permanece afeta à nossa responsabilidade. Analisemos com cuidado a nossa escolha, em qualquer problema ou situação do caminho que nos é dado percorrer, porquanto o nosso pensamento voará, diante de nós, atraindo e formando a realização que nos propomos atingir e, em qualquer setor da existência, a vida responde, segundo a nossa solicitação. Seremos devedores dela pelo que houvermos recebido.

O ministro sorriu benevolente e lembrou:

— Estejamos convictos, porém, de que o mal é sempre um círculo fechado sobre si mesmo, guardando temporariamente aqueles que o criaram, qual se fora um quisto de curta ou longa duração, a dissolver-se, por fim, no bem infinito, à medida que se reeducam as Inteligências que a ele se aglutinam e afeiçoam. O Senhor tolera a desarmonia, a fim de que por intermédio dela mesma se efetue o reajustamento moral dos espíritos que a sustentam, uma vez que o mal reage sobre aqueles que o praticam, auxiliando-os a compreender a excelência e a imortalidade do bem, que é o inamovível fundamento da Lei. Todos somos senhores de nossas criações e, ao mesmo tempo, delas escravos infortunados ou felizes tutelados. Pedimos e obtemos, mas pagaremos por todas as aquisições. A responsabilidade é princípio divino a que ninguém poderá fugir.

Nesse instante, uma jovem de semblante calmo penetrou no recinto e, dirigindo-se ao nosso orientador, falou algo aflita:

— Irmão Clarêncio, uma de nossas pupilas do quadro de reencarnações sob suas diretrizes pede socorro com insistência...

— É um apelo individual urgente? — indagou o ministro, preocupado.

— É assunto inquietante, mas numa prece refratada.

O prestimoso instrutor convidou-nos a acompanhá-lo e seguimo-lo atentamente.

1.

2
No cenário terrestre

1   Numa sala ampla, em que numerosas entidades trabalhavam solícitas, Clarêncio recebeu da jovem um pequeno gráfico que passou a examinar cauteloso.

Em seguida, comentou espontâneo:

— Ainda agora, falávamos de responsabilidade. Eis um fato que nos ilustra os conceitos.

E, exibindo o documento que trazia nas mãos, explicou:

— Temos aqui uma oração comovedora que superou as linhas vibratórias comuns do plano de matéria mais densa. Parte de uma devotada servidora que se ausentou de nossa cidade espiritual, há precisamente quinze anos terrestres, para determinadas tarefas na reencarnação. Não seguiu, porém, desassistida. Permanece sob nossa orientação. O nascimento e o renascimento no mundo, sob o ponto de vista físico, jazem confiados a leis biológicas de cuja execução se incumbem Inteligências especializadas; contudo, em suas características morais, subordinam-se a certos ascendentes do espírito.

O ministro deteve-se alguns instantes, analisando a pequenina e complicada ficha; todavia, como se provocasse a continuidade da lição que recebíamos, meu companheiro considerou:

— Mas, indiscutivelmente, na reencarnação há um programa de serviço a realizar...

— Sim, sem dúvida — aclarou o instrutor —, quanto mais vastos os recursos espirituais de quem retorna à carne, mais complexo é o mapa de trabalho a ser obedecido. Quase todos temos do pretérito expressivo montante de débito a resgatar e todos somos desafiados pelas aquisições a fazer. Nisso está o programa, significando em si uma espécie de fatalidade relativa no ciclo de experiências que nos cabe atender; entretanto, a conduta é sempre nossa e, dentro dela, podemos gerar circunstâncias em nosso benefício ou em nosso desfavor. Reconhecemos, assim, que o livre-arbítrio, também relativo, é uma realidade inconteste em todas as esferas de evolução da consciência. Não podemos olvidar, contudo, que, em todos os planos, marchamos em verdadeira interdependência. Nas linhas da experiência física, até certo ponto, os filhos precisam dos pais, os doentes necessitam dos médicos e os moços não prescindem do aviso dos mais velhos. Aqui, a habilitação depende dos educadores, o amparo eficiente exige quem saiba distribuí-lo, e a transferência de domicílio para trabalho enobrecedor, quando se trata de Espíritos sem méritos absolutos, reclama o endosso de autoridades competentes.

— Mas que vem a ser uma oração refratada? — indagou o meu colega, mordido de curiosidade.

Hilário fora igualmente médico no mundo e, tanto quanto eu, permanecia em tarefas ligadas à responsabilidade de Clarêncio, adquirindo conhecimentos especializados.

— A prece refratada é aquela cujo impulso luminoso teve a sua direção desviada, passando a outro objetivo.

.3   Inclinávamo-nos a desfechar novas perguntas; no entanto, o orientador sossegou-nos, esclarecendo:

— Esperem. Reconhecerão comigo que nos achamos todos imanados uns aos outros.

Em seguida, falou para a jovem que o observava respeitosa:

— Chame a irmã Eulália.

Alguns momentos passaram, rápidos, e a cooperadora mencionada apareceu irradiando bondade e simpatia.

— Irmã — disse Clarêncio, preciso —, este gráfico registra aflitivo apelo de Evelina, cuja volta ao aprendizado na carne foi garantida por nossa organização. Parece-me estar a pobrezinha em extremas dificuldades...

— Sim — concordou a interpelada —, Evelina, apesar da fragilidade do novo corpo, vem sustentando imensa luta moral. O pai, sobrecarregado de questões íntimas, tem a saúde periclitante e a madrasta vem sofrendo obstinada perseguição, por parte de nossa desventurada Odila.

— A genitora de Evelina?

— Sim, ela mesma. Ainda não se resignou a perder a primazia feminina no lar. Há dois anos empenho energia e boa vontade por dissuadi-la. Vive, porém, enovelada nos laços escuros do ciúme e não nos ouve. O egoísmo desbordante fá-la esquecida dos compromissos que abraçou. Zulmira, por sua vez, a segunda esposa de Amaro, desde a morte do pequenino Júlio caiu em profundo abatimento. Como não ignoramos, o pequeno desencarnou afogado, consoante as provas de que se fez devedor. A madrasta, contudo, que chegou a desejar-lhe o desaparecimento por não amá-lo, encontrando-se sob as sugestões da mulher que a precedeu nas atenções do marido, crê-se culpada... Evelina, depois de perder o maninho em trágicas circunstâncias, acha-se desorientada, entre o genitor aflito e a segunda mãe, em desespero... Ainda anteontem, pude vê-la. Chorava, comovedoramente, diante da fotografia da mãezinha desencarnada, suplicando-lhe proteção. Odila, porém, envolvida nas teias das próprias criações mentais, não se mostra capaz de corresponder à confiança e à ternura da menina. Ela, entretanto, tem insistido com tal vigor na obtenção de socorro espiritual que as suas rogativas, quebrando a direção, chegam até aqui, de tal modo...

Reparávamos o pequeno gráfico em silêncio.

2.

Sustando a pausa longa, o ministro fixou Hilário e indagou:

— Compreendem agora o que seja uma oração refratada? Evelina recorre ao espírito materno que não se encontra em condições de escutá-la, mas a solicitação não se perde... Desferida em elevada frequência, a súplica de nossa irmãzinha vara os círculos inferiores e procura o apoio que lhe não faltará.

Passeando em nós o olhar muito lúcido, concluiu:

— Desejariam cooperar conosco na tarefa assistencial?

Sem dúvida, o caso fascinava-nos a atenção.

O orientador, no entanto, recomendou esperássemos dois dias. Desejava inteirar-se, a sós, de todas as ocorrências, para instruir-nos com segurança, quando estivéssemos a usufruir-lhe a companhia.

Nossa excursão, todavia, foi marcada e, no momento preciso, achávamo-nos a postos.

Sem delonga na viagem, Clarêncio, Eulália, Hilário e eu encontramo-nos em residência modesta, mas confortável, num dos bairros do Rio de Janeiro.

O relógio citadino acusava exatamente vinte e uma horas.

Entramos.

Em estreito compartimento, à guisa de gabinete de trabalho e biblioteca, um homem de 35 anos presumíveis lia, com visíveis sinais de preocupação, um manual de mecânica.

Na secretária singela, desdobravam-se publicações diversas, denunciando-lhe os estudos.

Clarêncio, assumindo com mais propriedade o papel de mentor do nosso grupo, informou gentil:

— Este é Amaro, o chefe da casa. Tem, no longo pretérito, complicados compromissos. Em muitas ocasiões, usou projetis e lâminas de ferro para o mal. Hoje, é servidor categorizado numa ferrovia...

Em seguida, passamos a gracioso quarto próximo.

Encantadora adolescente de 14 anos bordava iniciais num lenço de linho.

Magra e triste, parecia concentrar a mente nos olhos grandes e serenos. Não nos assinalou a presença, mas, ao contato das mãos espirituais do ministro, revelou indefinível contentamento interior.

Instintivamente, desviou o olhar do pano alvo e fixou-o num retrato de mulher que pendia da parede. Sorria, enlevada, qual se conversasse com a imagem, enquanto Clarêncio nos dizia:

— Esta é a nossa Evelina, cuja reencarnação foi por nós organizada faz alguns anos. A fotografia é uma lembrança da mãezinha que já partiu. Evelina está ligada aos pais, por imenso amor, desde séculos remotos. Veio ao encontro de criaturas e situações das quais necessita para a garantia da própria ascensão, mas trouxe também consigo a tarefa de auxiliar os progenitores. No momento, acredita-se amparada pela mãezinha; entretanto, pelos méritos já acumulados na vida espiritual, é ela mesma quem continua socorrendo o coração materno, ainda em luta...

Abracei, comovido, a mocinha extática, que se guardava em luminoso halo de tranquilidade e, por alguns instantes, meditei na grandeza do amor e na sublimidade da oração.

3
Obsessão

1   Penetramos o mais espaçoso aposento da casa, onde uma senhora de aspecto juvenil repousava abatida e insone.

Moça de 25 anos aproximadamente, mostrava no semblante torturado harmoniosa beleza. O rosto delicado parecia haver saído de uma tela preciosa; todavia, com a suavidade das linhas fisionômicas contrastavam a inquietação e o pavor dos olhos escuros e o abandono dos cabelos em desalinho.

Ao lado dela, descansava outra mulher, sem o veículo físico.

Recostada num travesseiro de grandes dimensões, dava a ideia de proteger a moça indiscutivelmente enferma; contudo, a vaguidão do olhar e o halo obscuro de que se cercava não nos deixavam dúvida quanto à sua posição de desequilíbrio interior. Conservava a destra sobre a medula alongada da senhora vencida e doente, como se quisesse controlar-lhe as impressões nervosas, e fios cinzentos que lhe fluíam da cabeça, à maneira de tentáculos dum polvo, envolviam-lhe o centro coronário, obliterando-lhe os núcleos de força.

Indiferentes ambas à nossa presença, foi possível observá-las atentamente, identificando-se-lhes a posição de verdugo e de vítima.

Arrancando-nos da indagação silenciosa em que nos demorávamos, Clarêncio explicou:

— A jovem senhora é Zulmira, a segunda orientadora deste lar, e a irmã desencarnada que presentemente lhe vampiriza o corpo é Odila, a primeira esposa de Amaro e mãezinha de Evelina, dolorosamente transfigurada pelo ciúme a que se recolheu. Empenhada em combater aquela que considera inimiga, imanta-se a ela, pelo veículo perispirítico, na região cerebral, dominando a complicada rede de estímulos nervosos e influenciando os centros metabólicos, com o que lhe altera profundamente a paisagem orgânica.

— Mas por que não há reação por parte da perseguida? — inquiri perplexo.

— Porque Zulmira, a nossa amiga encarnada, caiu no mesmo padrão vibratório — aclarou o instrutor. — Ela também se devotou ao marido com egoísmo aviltante. Amaro sempre foi pai afetuosíssimo. O matrimônio anterior deixou-lhe um casal de filhinhos, mas o pequeno Júlio, formosa criança de 8 anos, perdeu a existência no mar. A segunda mulher nunca suportou, sem mágoa, o carinho do genitor para com os órfãos de mãe. Revoltava-se, choramingava e doía-se constantemente, diante das menores manifestações de ternura paternal, entrelaçando-se, por isso mesmo, com as desvairadas energias da irresignada companheira de Amaro, arrebatada pela morte. Em suas preocupações doentias, Zulmira chegou a desejar a morte de uma das crianças. Pretendia possuir o coração do homem amado com absoluto exclusivismo. E porque as atenções de Amaro se concentravam particularmente sobre o menino, muitas vezes emitiu silenciosamente o anseio de vê-lo afogar-se na praia em que se banhavam. Certa manhã, custodiando os enteados, separou Evelina do irmão, permitindo ao petiz mais ampla incursão nas águas. O objetivo foi atingido. Uma onda rápida surpreendeu o miúdo banhista, arrojando-o ao fundo. Incapaz de reequilibrar-se, Júlio voltou cadaverizado à superfície. O sofrimento familiar foi enorme. O ferroviário sentiu-se psiquicamente distanciado da segunda esposa, classificando-a como relaxada e cruel com os filhinhos. Zulmira, a seu turno, acabrunhada com o acontecimento e guardando consigo a responsabilidade indireta pelo desastre havido, caiu obsidiada ante a influência perniciosa da rival que a subjugava do plano invisível.

Clarêncio fez ligeiro intervalo e continuou:

— O sentimento de culpa é sempre um colapso da consciência e, por intermédio dele, sombrias forças se insinuam... Zulmira, pelo remorso destrutivo, tombou no mesmo nível emocional de Odila e ambas se digladiam num conflito de morte, inacessível aos olhos humanos comuns. É um caso em que a Medicina terrestre não consegue interferência.

Calara-se o ministro.

Qual se nos registrasse a presença por intuição, Odila movimentou-se e, agarrando-se à pobre senhora com mais força, gritou:

— Ninguém a libertará! Sou infeliz mãe espoliada... Farei justiça por minhas próprias mãos!...

E, contemplando a enferma com expressão terrível, acrescentava:

— Assassina! Assassina!... Mataste meu filhinho! Morrerás também!...

A doente abriu desmesuradamente os olhos.

Extrema palidez cobriu-lhe a face.

Não ouvia as palavras da adversária que lhe era invisível, mas, envolta na onda magnética que a enlaçava, sentia-se morrer.

Clarêncio afagou-lhe a fronte e disse calmo:

— Pobre moça!...

3. Hilário e eu, instintivamente, abeiramo-nos de Odila para afastá-la com a presteza possível, mas o instrutor generoso deteve-nos com um gesto, advertindo:

— A violência não ajuda. As duas se encontram ligadas uma à outra. Separá-las à força seria a dilaceração de consequências imprevisíveis. A exasperação da mulher desencarnada pesaria demasiado sobre os centros cerebrais de Zulmira e a lipotimia[2] poderia acarretar a paralisia ou mesmo a morte do corpo.

— Mas, então — clamou Hilário, contrafeito —, como extinguir essa união indébita? Não será justo afastar o algoz da vítima?

Clarêncio sorriu e ponderou:

— Aqui, o quadro é diverso. Na esfera carnal, a cápsula física é precioso isolante das energias desequilibradas de nossa mente; entretanto, em nosso plano de ação, no problema que observamos, essas forças desbordam ameaçadoras sobre a infortunada mulher, cujo corpo pode ser comparado a uma lâmpada de fraca receptividade, sobre a qual seria perigoso arremessar uma corrente superior à capacidade de resistência a que se enquadra. A inutilização seria completa.

— Que poderíamos fazer? — indagou Hilário, desapontado.

— Precisamos atuar na elaboração dos pensamentos da infortunada irmã que tomou a iniciativa da perseguição. É imprescindível dar outro rumo à vontade dela, deslocando-lhe o centro mental e conferindo-lhe outros interesses e diferentes aspirações.

— E não podemos começar, exortando-a?

O ministro, sereno, obtemperou sem alterar-se:

— Talvez, assim de momento, não pudéssemos ou não soubéssemos. A preparação é indispensável.

---

[2] N.E.: Perda súbita da consciência; desmaio.

— Nada custa uma conversação de censura... — alegou meu companheiro, admirado.

— Sim, uma doutrinação pura e simples seria cabível; contudo, não podemos esquecer que a organização cerebral da vítima permanece excessivamente martelada. Nossa intervenção no campo espiritual de Odila deve ser envolvente e segura para evitar choques e contrachoques, que repercutiriam desastrosamente sobre a outra. Nem doçura prejudicial, nem energia contundente...

O instrutor dirigiu piedoso olhar às duas mulheres e prosseguiu:

— A questão nesta casa surge realmente melindrosa. É necessário buscar alguém que já tenha amealhado na alma bastante amor e bastante entendimento para conversar com o poder criador da renovação.

Refletiu alguns instantes e aduziu:

— Contamos em nossas relações com a irmã Clara. Rogaremos o concurso dela. Modificará Odila com o seu verbo coroado de luz, inclinando-a ao serviço da conversão própria. Por agora, de nossa parte, somente nos é possível a dispensação de algum alívio e nada mais.

Recomendou a Eulália assistisse Evelina para o refazimento psíquico de que a menina necessitava e, em seguida, aplicou recursos magnéticos sobre Zulmira, em passes calmantes, de longo curso.

Qual se fosse brandamente anestesiada, a enferma passou da irritação à serenidade e pareceu dormir aos olhos do esposo que chegara de mansinho, acomodando-lhe os travesseiros.

4
Senda de provas

1 Zulmira ausentara-se do corpo, mas não desfrutava a paz que se lhe estampara na máscara física.

Enlaçada por Odila, a cujo olhar dominador se inclinava submissa, não nos identificou a presença.

Com evidentes sinais de terror, ouvia as objurgatórias da rival que a acusava, exclamando:

— Que fizeste de meu filhinho? Assassina! Assassina! Pagarás muito caro a intromissão no lar que é somente meu!... Destroçarei tua vida, não me furtarás o afeto de Amaro... Armarei o coração de Evelina contra ti!...

— Não, não!... — respondia a vítima. — Não matei! Não fui eu quem matou!...

— Hipócrita! Acompanhei os teus pensamentos, teus desejos, teus votos...

Zulmira desembaraçou-se, de inopino, dos braços que a envolviam e correu para fora, seguida pela outra.

Esclarecendo-nos bondoso, Clarêncio observou:

— Quando a pobrezinha consegue sossegar o corpo, cai no pesadelo agitado. Acompanhemo-las. Dirigem-se à praia, onde ocorreu a morte do pequenino. Premida pelo assédio de nossa irmã desequilibrada, Zulmira ainda não se libertou das aflitivas reminiscências de que se vê possuída.

Pusemo-nos na direção do mar, antecipando-as no trajeto. E, enquanto nos afastávamos, a conversação fazia-se ativa.

— Não posso compreender por que a infeliz se declarou inocente... — comentou Hilário, pensativo.

— Por que tamanha provação se não é ela a autora do crime? — inquiri por minha vez.

O ministro, porém, informou preciso:

— Segundo as anotações que já recolhemos da irmã Eulália, Zulmira não é propriamente a autora, mas, com loucas ciumadas do marido, desejou ardentemente a morte da criança, chegando mesmo a favorecê-la. Para não repetirmos esclarecimentos aos quais já nos reportamos, faremos ligeiro retrospecto, tão minudenciado quanto possível, examinando o problema aflitivo do casal.

Depois de breve pausa, prosseguiu:

— Amaro experimentava imensa devoção afetiva pelo filhinho. Quando Júlio adoecia, desvelava-se à cabeceira do petiz com ilimitada ternura. Sabendo-o sem o carinho materno e reconhecendo que a madrasta não primava pelo amor, junto dos enteados, passava a dormir ao lado do caçula, rodeando-o de mimos. Quando tornava a casa, cada dia, confiava-se a longas conversações com o filho, lendo-lhe histórias ou escutando-lhe, atencioso, as narrativas infantis. Assemelhavam-se a dois velhos amigos, a se bastarem um ao outro. Zulmira, em razão disso, ralada de despeito, passou a ver no menino um adversário de sua felicidade doméstica. A dedicação de Evelina para com o genitor não lhe doía tanto. A filha mais velha era mais doce e mais reservada. Comedida em suas manifestações, sabia dividir gentilezas, sem olvidar a segunda mãe em seu culto de amizade. A madrasta nada sentia contra ela, mas o pequeno excitava-a. Júlio, no extremado apego ao genitor, costumava exagerar-se em traquinadas e caprichos que Amaro desculpava sempre, com benevolente sorriso. Zulmira, pouco a pouco, permitiu que o ódio lhe ocupasse o coração e deixou que o ciúme a enceguecesse a ponto de suspirar pelo desaparecimento do alegre rapazinho. Despreocupava-se intencionalmente pela assistência que lhe devia e abandonava-o às extravagâncias, características de sua idade, alimentando o secreto anseio de presenciar-lhe o fim. Chegava mesmo a estimular-lhe indébitas incursões na via pública, admitindo que algum veículo podia fazer o que não tinha coragem de realizar com as próprias mãos... Foi nessa disposição de espírito que acompanhou a família ao banho matinal, em clara manhã domingueira. Entregues ao contentamento da excursão, Amaro e a filhinha distanciaram-se, de algum modo, numa lancha pequena, enquanto Zulmira assumiu a guarda do garoto. Foi então que o cérebro da moça deixou nascer escuras divagações. Não seria aquele o momento azado para consumar o velho propósito? E se relegasse o menino a si mesmo? Decerto, Júlio, em sua curiosidade infantil, não resistiria à atração para o seio das águas... Ninguém poderia culpá-la. Passou do projeto à ação e de pronto se afastou. Vendo-se a sós, o caçula de Amaro interessou-se mais vivamente pelas conchas multicores a se multiplicarem na areia, perseguindo-as, encantado, pelo mar adentro, até que uma onda veloz lhe chicoteou o corpo tenro, obrigando-o a mergulhar. A criança gritou, pedindo-lhe amparo... Realmente, poderia ter retrocedido alguns passos, salvando-a, mas, vencida pelos sinistros pensamentos que lhe dominavam a cabeça, esperou que o mar concluísse o horrível trabalho que não tivera coragem de executar. Quando notou que o enteado havia desaparecido, começou a clamar por socorro, de alma repentinamente dobrada pelo remorso, mas era tarde... Amaro acorreu precípite e, com o auxílio de companheiros, retirou para fora o corpinho inerte. Torturado, chorou amargosamente a perda do filhinho, recriminando a mulher. Foi então que Zulmira, dominada pelo arrependimento e atormentada pela noção de culpa, desceu, em espírito, ao padrão vibratório de Odila, que a seguia, em silêncio, revoltada. Enquanto se mantinha com a paz de consciência, defendia-se naturalmente contra a perseguição invisível, como se morasse num castelo fortificado, mas, condenando a si mesma, resvalou em deplorável perturbação, à maneira de alguém que desertasse de uma casa iluminada, embrenhando-se numa floresta de sombra.

O ministro fez leve pausa de repouso e prosseguiu:

4.

— A pobre senhora, desde esse dia, perdeu a ventura doméstica e a tranquilidade própria. Ela e o marido respiram agora sob o mesmo teto, qual se fossem estranhos entre si.

— Mas, à frente da Lei, Zulmira é culpada? — perguntei com interesse.

O sábio mentor sorriu significativamente e considerou:

— Não, no sentido real da Lei, Zulmira não é culpada.

Entretanto, deitando-nos um olhar mais expressivo que de costume, continuou:

— Todavia, quem de nós não é responsável pelas ideias que arroja de si mesmo? Nossas intenções são atenuantes ou agravantes das faltas que cometemos. Nossos desejos são forças mentais coagulantes, materializando-nos as ações que, no fundo, constituem o verdadeiro campo em que nossa vida se movimenta. Os frutos falam pelas árvores que os produzem. Nossas obras, na esfera viva de nossa consciência, são a expressão gritante de nós mesmos. A forma de nosso pensamento dá feição ao nosso destino.

Hilário e eu ouvíamos enlevados, sem pestanejar.

Clarêncio, no entanto, guardando a intuição clara do serviço imediato a fazer, para não se delongar em digressões filosóficas, retomou o fio central do assunto, esclarecendo:

— Júlio trazia consigo a morte prematura no quadro de provações. Era um suicida reencarnado... A segunda esposa de Amaro, porém, sofre o resultado das infelizes deliberações que albergou no espírito. Padece o retorno das vibrações envenenadas que arremessou na direção do menino. Pelo ciúme, criou ao redor de si mesma um ambiente pestilencial, em que os seus próprios pensamentos malignos conseguiram prosperar, assim como um fruto apodrecido desenvolve em si mesmo os vermes que o devoram, convertendo-se igualmente em pasto de outros vermes que o alcançam. Supondo-se responsável pela morte da criança, uma vez que asilou o delituoso plano a que nos referimos, Zulmira abandonou-se ao mal que trazia consigo, imantando-se, ainda, ao mal de que a adversária é portadora, e tornou-se, por isso, enferma e dementada.

— E o pequeno, em toda a história? — inquiri admirado.

— Júlio foi conduzido à região que lhe é própria.

— Mas Odila não poderia vê-lo, certificando-se de toda a verdade?

— Infelizmente — explicou o venerando instrutor —, a infortunada criatura tem o centro genésico plenamente descontrolado e isso lhe impede a visão mais ampla. Não consegue querer senão o marido, em vista do apego enlouquecedor aos vínculos do sexo, que a paixão nada faz senão desvirtuar. Odila possui admiráveis qualidades morais que jazem, por enquanto, eclipsadas... Desencarnou em largo vigor de seu idealismo feminino, sem uma fé religiosa capaz de reeducar-lhe os impulsos, justificando-se, desse modo, a superexcitação em que se encontra. Semelhante estado, contudo, é transitório e esperamos se submeta, de boa vontade, ao tratamento de reajuste que lhe será dispensado em breve. Melhorada a situação dela, creio que o problema terá imediata e construtiva solução.

Ia perguntar algo de novo, mas atingíramos a praia e Clarêncio determinou nos puséssemos a observar.

4.

5
Valiosos apontamentos

1   Alcançáramos a orla do mar, em plena noite.
A movimentação da vida espiritual era aí muito intensa.

Desencarnados de várias procedências reencontravam amigos que ainda se demoravam na Terra, momentaneamente desligados do corpo pela anestesia do sono. Dentre esses, porém, salientava-se grande número de enfermos.

Anciães, mulheres e crianças, em muitos aspectos diferentes, compareciam ali, sustentados pelos braços de entidades numerosas que os assistiam.

Conversações edificantes e lamentos doloridos chegavam até nós.

Serviços magnéticos de socorro urgente eram improvisados aqui e além... E o ar, efetivamente, confrontado ao que respirávamos na área da cidade, era muito diverso.

Brisas refrescantes sopravam de longe, carreando princípios regeneradores e insuflando em nós delicioso bem-estar.

— O oceano é miraculoso reservatório de forças — elucidou Clarêncio, de maneira expressiva —; até aqui, muitos companheiros de nosso plano trazem os irmãos doentes, ainda ligados ao corpo da Terra, de modo a receberem refazimento e repouso. Enfermeiros e amigos desencarnados desvelam-se na reconstituição das energias de seus tutelados. Qual acontece na montanha arborizada, a atmosfera marinha permanece impregnada por infinitos recursos de vitalidade da Natureza. O oxigênio sem mácula, casado às emanações do plancto, converte-se em precioso alimento de nossa organização espiritual, principalmente quando ainda nos achamos direta ou indiretamente associados aos fluidos da matéria mais densa.

Passávamos agora na vizinhança de uma dama extremamente abatida, quase em decúbito dorsal à frente das águas, recolhendo o auxílio magnético de um benfeitor que se iluminava no serviço e na oração.

Clarêncio deixou-nos por momentos, conversou algo com um amigo, a pequena distância, e regressou, informando:

— Trata-se de irmã do nosso círculo pessoal, assediada pelo câncer. Foi retirada do veículo físico, pela hipnose, a fim de obter a assistência que lhe é necessária.

— Mas — objetei curioso — esse tipo de tratamento pode sustar o desequilíbrio das células orgânicas? A doente conseguirá curar-se, de modo positivo?

O ministro sorriu e aclarou:

— Realmente, na obra assistencial dos Espíritos amigos, que interferem nos tecidos sutis da alma, é possível, quando a criatura se desprende parcialmente da carne, a realização de maravilhas. Atuando nos centros do perispírito, por vezes efetuamos alterações profundas na saúde dos pacientes, alterações essas que se fixam no corpo somático, de maneira gradativa. Grandes males são assim corrigidos, enormes renovações são assim realizadas.

Mormente quando encontramos o serviço da prece na mente enriquecida pela fé transformadora, facilitando-nos a intervenção pela passividade construtiva do campo em que devemos operar, a tarefa de socorro concretiza verdadeiros milagres. O corpo físico é mantido pelo corpo espiritual a cujos moldes se ajusta e, desse modo, a influência sobre o organismo sutil é decisiva para o envoltório de carne em que a mente se manifesta.

Nesse ponto das explicações, porém, o ministro abanou a cabeça e ajuntou:

— Nossa ação, contudo, está subordinada à lei que nos rege. No problema de nossa irmã, o concurso de nosso plano conseguirá tão somente angariar-lhe reconforto. A moléstia, em razão das provas que lhe assinalam o roteiro pessoal, atingiu insopitável extensão.

— Quer dizer que ela, agora, apenas se habilita à morte calma? — indagou Hilário, atencioso.

— Justamente — confirmou o orientador. — Com a cooperação em curso, despertará no corpo desfalecente mais serena e mais confortada. Repetindo as excursões até aqui, noite a noite, habituar-se-á, com entendimento superior, à ideia da partida, transmitindo aos familiares resignação e coragem para o transe da separação; aprenderá a contribuir com o seu esforço, no sentido de aliviar-lhes as aflições pela humildade que edificará, dentro de si mesma... pouco a pouco; desligar-se-á da carne enfermiça, acentuando a luz interior da própria consciência, a fim de separar-se do ambiente que lhe é caro, como quem encontra na morte física valiosa liberação para serviço mais enobrecido. E, assim, em algumas semanas, mostrar-se-á admiravelmente preparada ante o novo caminho...

Clarêncio silenciara.

O assunto requisitava-me a novas observações.

— Nesse caso... — comecei a falar hesitante.

O ministro, porém, sorriu compreensivo e atalhou, esclarecendo:

— Já sei a tua conclusão. É isso mesmo. A enfermidade longa é uma bênção desconhecida entre os homens, constitui precioso curso preparatório da alma para a grande libertação. Sem a moléstia dilatada, é muito difícil o êxito rápido no trabalho da morte.

Nesse instante, contudo, Zulmira e Odila chegavam à praia, em sítio não longe de nós.

Clarêncio recomendou-nos atenção.

Rodeamo-las prestamente, qual se fossem irmãs enfermas sob a nossa guarda.

Nem uma nem outra nos identificavam a presença. Tampouco pareciam interessadas pelo movimento no logradouro.

A primeira esposa de Amaro centralizava o olhar sobre a presa, enquanto a vítima revelava na expressão facial o intraduzível terror dos que se abeiram do extremo desequilíbrio.

Zulmira ensaiava o gesto de quem se propunha a regressar precipitadamente a casa, mas, contida pela companheira, avançava, entre a aflição e o pavor.

E, repetindo as mesmas acusações que já ouvíramos, Odila martelava o cérebro da outra, reiterando, desapiedada:

— Recorda o crime, infeliz! Lembra-te da horrível manhã em que te fizeste assassina! Onde colocaste meu filho? Por que afogaste um inocente?

— Não, não! — gritava a pobrezinha dementada. — Não fui eu! Juro que não fui eu! Júlio foi tragado pelas ondas...

— E por que não velaste pela criança que meu marido levianamente confiou às tuas mãos infiéis? Acaso, não te acusa a própria consciência? Onde situas o senso de mulher? Pagar-me-ás alto preço pelo relaxamento delituoso... Não permitirei que Amaro te ame, alimentarei a antipatia dele contra ti, atormentarei as pessoas que te desejarem socorrer, destruirei a própria casa de que te apossaste e me pertence!... Impostora! Impostora!...

— Sim, sim... — concordava Zulmira, terrificada —, não matei, mas não fiz o que me competia para salvá-lo! Perdoa-me! Perdoa-me! Prometo empenhar-me no refazimento da paz de todos... Serei uma escrava de teu marido e restituí-lo-ei aos teus braços; converter-me-ei em serva de tua filhinha, cujos passos orientarei para o bem, mas, por piedade, deixa-me viver! Liberta-me! Compadece-te de mim!...

— Nunca! Nunca! — bradava a interlocutora, friamente. — Tua falta é imperdoável. Mataste! Deves confessar o delito perpetrado, à frente da polícia!... Dobrar-te-ei a cerviz! Serás recolhida à penitenciária, para que te mistures às delinquentes de tua laia!...

— Não! Não! — suplicava Zulmira, com sinais comoventes de angústia.

— Se não aniquilaste meu filho — bradava a outra, cruel —, devolve-o aos meus braços! Devolve-o! Devolve-o!

Nesse momento, ambas se achavam à frente de determinada nesga da praia.

Os olhos da pobre obsidiada adquiriram estranho fulgor.

— Foi aqui! — rugiu a perseguidora, rudemente. — Aqui consumaste o sinistro plano de extinção da nossa felicidade...

Qual se fora tangida de secretos impulsos, a segunda mulher de Amaro desprendeu-se dos braços que a constringiam e, penetrando as águas, clamava aflita:

— Júlio! Júlio!...

Odila, no entanto, perturbada e ensandecida, pôs-se-lhe no encalço.

Sentindo-lhe a aproximação, Zulmira rodou sobre os calcanhares e disparou de volta ao lar.

Acompanhamos as duas, na competição a que se entregavam, sem perdê-las de vista.

Varando a casa, incontinente, dando a ideia de que o corpo adormecido era poderoso magnete a atraí-la, Zulmira despertou, alagada de suor, conservando no cérebro de carne a impressão de que vagueara em terrível pesadelo.

Tentou gritar, mas não conseguiu.

Faleciam-lhe as forças em colapso nervoso, insopitável. A dispneia castigava-a com violência, enquanto as coronárias se mostravam intumescidas.

Clarêncio aproximou-se e aplicou-lhe fluidos salutares e repousantes.

Acalmou-se-lhe o coração, vagarosamente, o campo circulatório tornou à feição normal. Foi então que a desventurada senhora conseguiu gemer, clamando por socorro.

6
Num lar cristão

1   Propúnhamo-nos seguir o caso de Zulmira, não só para cooperar a favor de suas melhoras, mas também para registrar os ensinamentos possíveis, e, solicitando o concurso de Clarêncio, dele ouvimos judiciosas ponderações.

— Sim — disse —, para auxiliar em processos dessa natureza, é preciso marchar para a frente, mas, para compreender o serviço que nos compete e avançar com segurança, é necessário voltar à retaguarda, armando-nos de lições que nos esclareçam.

Não sabíamos como interpretar-lhe a palavra; entretanto, ele mesmo nos socorreu, explicando, depois de ligeira pausa:

— Para realizarmos um estudo geral da situação, convém o contato com outras personagens do drama que se desenrola. Ser-nos-á interessante, para isso, uma visita ao pequeno Júlio, no domicílio espiritual em que estagia.

— Oh! será um prazer! — clamei contente.

— Poderíamos seguir agora? — perguntou Hilário, encantado.

O ministro refletiu por segundos e observou:

— Nas responsabilidades que esposamos, não é aconselhável indagar por indagar. Procuremos o objetivo, a utilidade e a colaboração no bem. Não nos achamos em férias, e sim em trabalho ativo.

Pensou, pensou... e aduziu:

— Sei que amanhã, à noite, Eulália deve acompanhar duas de nossas irmãs encarnadas à visitação dos filhinhos que as precederam na grande viagem da morte e que se encontram no mesmo sítio em que Júlio se demora asilado. Poderemos substituir nossa cooperadora no serviço a fazer. Seguiremos em lugar dela. Prestaremos assistência às nossas amigas e examinaremos a situação da criança.

Anotando a preciosa lição de trabalho que aquelas expressões encerravam, aguardamos a noite próxima, com ansiedade real.

Na hora aprazada, descemos à matéria densa, em busca das irmãs que seguiriam conosco.

Deixou-nos o ministro numa casinha singela de remota região suburbana, depois de informar-nos:

— Aqui reside nossa irmã Antonina, com três dos quatro filhos que o Senhor lhe confiou. Incapaz de vencer as tentações da própria natureza, o marido abandonou-a, há quatro anos, para comprometer-se em delituosas aventuras. A dona da casa, porém, não desanimou. Trabalha com diligência numa fábrica de tecidos e educa os rebentos do lar com acendrado amor ao Evangelho de Nosso Senhor Jesus. Tem sabido resgatar com valor as dívidas que trouxe do pretérito próximo. Perdeu, há meses, o pequeno Marcos, de 8 anos, atacado de fulminante pneumonia, com quem se encontrará, depois da prece que proferirá com os pequeninos. Trarei comigo a outra companheira de nossa viagem. Quanto a vocês, auxiliem nas orações e nos estudos de Antonina, até que eu volte, de modo a seguirmos todos juntos.

Hilário e eu penetramos a sala desataviada e estreita.

Uma senhora ainda jovem, mas extremamente abatida, achava-se de pé, junto de três lindas crianças, dois rapazinhos entre 11 e 12 anos e uma loura pequerrucha, certamente a caçula da família, que pousava na mãezinha os belos olhos azuis.

Num recanto do compartimento humilde, triste velhinho desencarnado como que se colocava à escuta.

Dona Antonina colocou sobre a toalha muito alva dois copos com água pura, tomou um exemplar do Novo Testamento e sentou-se.

Logo após, falou carinhosamente:

— Se não me falha a memória, creio que a prece de hoje deve ser feita por Lisbela.

A pequenita levou as minúsculas mãos ao rosto, apoiou graciosamente os cotovelos sobre a mesa e, cerrando os olhos, recitou:

Pai nosso que estais no Céu, santificado seja o vosso nome, venha a nós o vosso Reino, seja feita a vossa vontade, assim na Terra como nos Céus, o pão nosso de cada dia dai-nos hoje, perdoai as nossas dívidas, assim como perdoamos aos nossos devedores, não nos deixeis cair em tentação e livrai-nos de todo mal, porque vosso é o Reino, o poder e a glória para sempre. Assim seja.

Lisbela abriu os olhos, de novo, e procurou silenciosamente a aprovação maternal.

Dona Antonina sorriu satisfeita e exclamou:

— Você orou muito bem, minha filha.

E, dividindo agora a atenção com os dois meninos, entregou o Evangelho a um deles, convidando:

— Abra, Henrique. Vejamos a mensagem cristã para os nossos estudos da noite.

O rapazinho escolheu o texto ao acaso, restituindo o livro às mãos maternais.

A genitora, emocionada, leu os versículos 21 e 22 do capítulo 18 das anotações do apóstolo Mateus:

— Então Pedro, aproximando-se dele, disse: "Senhor, até quantas vezes pecará meu irmão contra mim e eu lhe perdoarei? Até sete?" Jesus lhe disse: "Não te digo que até sete, mas até setenta vezes sete".

Calou-se dona Antonina, como quem aguardava a manifestação de curiosidade dos jovens aprendizes.

O pequeno Henrique, iniciando a conversação, perguntou com simplicidade:

— Mãezinha, por que Jesus recomendava um perdão assim tão grande?

Demonstrando vasto treinamento evangélico, a senhora replicou:

— Somos levados a crer, meus filhos, que o Divino Mestre, ensinando-nos a desculpar todas as faltas do próximo, inclinava-nos ao melhor processo de viver em paz. Quem não sabe desvencilhar-se dos dissabores da vida não pode separar-se do mal. Uma pessoa que esteja parada em lembranças desagradáveis caminha sempre com a irritação permanente. Imaginemos vocês na escola. Se não conseguirem esquecer os pequeninos aborrecimentos nos estudos, não poderão aproveitar as lições. Hoje é um colega menos amigo a preparar lamentável brincadeira, amanhã é uma incorreção do guarda enfadado em razão de algum equívoco. Se vocês imobilizarem o pensamento na impaciência ou na revolta, poderão fazer coisa pior, afligindo a professora, desmoralizando a escola e prejudicando o próprio nome e a saúde. Uma pessoa que não sabe desculpar vive comumente isolada. Ninguém estima a companhia daqueles que somente derramam de si mesmos o vinagre da queixa ou da censura.

5   Nessa altura do ensinamento, dona Antonina fitou o primogênito e perguntou:

— Você, Haroldo, quando tem sede preferiria beber a água escura de um cântaro recheado de lodo?

— Ah! isso não — replicou o mocinho muito sério —, escolherei água pura, cristalina...

— Assim somos também, tratando-se de nossas necessidades espirituais. A alma que não perdoa, retendo o mal consigo, assemelha-se ao vaso cheio de lama e fel. Não é coração que possa reconfortar o nosso. Não é alguém capaz de ajudar-nos a vencer nas dificuldades da vida. Se apresentamos nossa mágoa a um companheiro dessa espécie, quase sempre nossa mágoa fica maior. Por isso mesmo, Jesus aconselhava-nos a perdoar infinitamente, para que o amor, em nosso espírito, seja como o Sol brilhando em casa limpa.

Expressivo intervalo fez-se notar.

O jovem Haroldo, de semblante apoquentado, interferiu, indagando:

— Mas a senhora crê, mãezinha, que devemos perdoar sempre?

— Como não, meu filho?

— Ainda mesmo quando a ofensa seja a pior de todas?

— Ainda assim.

E, observando-o, inquieta, dona Antonina acentuou:

— Por que tratas deste assunto com tamanha preocupação?

— Refiro-me ao papai — disse o menino algo triste —; papai abandonou-nos quando mais precisávamos dele. Seria justo esquecer o mal que nos fez?

— Ó! meu filho! — comentou a nobre mulher. — Não te detenhas nesse problema. Por que alimentar rancor contra o homem que te deu a vida? Como condená-lo se não sabemos tudo o que lhe aconteceu? Seria realmente melhor para o nosso bem-estar se ele estivesse conosco, mas, se devemos suportar a ausência dele, que os nossos melhores pensamentos o acompanhem. Teu pai, meu filho, com a permissão do Céu, deu-te o corpo em que aprendes a servir a Deus. Por esse motivo, é credor de teu maior carinho. Há serviços que não podemos pagar senão com amor. Nossa dívida para com os pais é dessa natureza...

Recordando talvez que a família se achava num curso de formação cristã, a dona da casa acrescentou:

— Um dia, quando Moisés, o grande profeta, foi ao monte receber a Revelação Divina, uma das mais importantes determinações por ele ouvidas do Céu foi aquela em que a Eterna Bondade nos recomenda: "Honrarás teu pai e tua mãe". A Lei enviada ao mundo não estabelece que devamos analisar a espécie de nossos pais, mas sim que nos cabe a obrigação de honrá-los com o nosso amoroso respeito, sejam eles quais forem.

A reduzida assembleia recolhia as explicações, de olhos felizes e iluminados.

Haroldo mostrou-se conformado; todavia, ainda ponderou:

— Compreendo, mãezinha, o que a senhora quer dizer. Entretanto, se papai estivesse junto de nós, talvez Marcos não tivesse morrido. Teríamos o dinheiro suficiente para tratá-lo.

Dona Antonina enxugou, apressada, as lágrimas que lhe caíram espontâneas, ante a evocação do filhinho, e continuou:

— Seria um erro permitir a queda de nossa confiança no Pai Celestial. Marcos partiu ao encontro de Jesus, porque Jesus o chamava. Nada lhe faltou. Rogo a vocês não darmos curso a qualquer ideia triste a respeito da memória do anjo que nos precedeu. Nossos pensamentos acompanham no Além aqueles que amamos.

Nesse ponto da conversação, Lisbela inquiriu graciosa:

— Mãezinha, Marcos nos vê?

— Sim, minha filha — esclareceu dona Antonina, emocionada —, ele nos ajuda em espírito, pedindo a Jesus forças e bênçãos para nós. Por nossa vez, devemos auxiliá-lo com as nossas preces e com as nossas melhores recordações.

Dona Antonina, porém, pareceu asfixiada por enormes saudades. Enquanto os meninos comentavam com interesse os ensinamentos da noite, demorava-se absorta, mentalizando a imagem do pequenino...

Quando o relógio assinalou o fim do culto, solicitou a Henrique fizesse a oração de encerramento.

O petiz repetiu a prece dominical, rogando ao Senhor abençoasse a mãezinha, e o trabalho terminou.

A dona da casa repartiu com os pequenos alguns cálices da água cristalina que Hilário e eu magnetizáramos e, logo após, pensativa e saudosa, retirou-se com os filhinhos para a câmara em que se recolheriam todos juntos.

7
Consciência em desequilíbrio

1   Consoante as recomendações que havíamos recebido, aguardamos dona Antonina, no estreito recinto em que se processara o culto familiar.

Agora, conseguíamos reparar o ancião desencarnado com mais atenção. Conservando integrais remanescentes da vida física, abatido e trêmulo, parecia inquieto, dementado...

Tentamos debalde uma aproximação.

Não nos via.

Lembrei ao meu companheiro que poderíamos densificar o nosso veículo, pela concentração da vontade, e apressamo-nos na providência.

Em momentos breves, fornecendo a impressão de recém-chegados, atraímos-lhe o interesse.

O velhinho precipitou-se para nós, exclamando:

— São oficiais ou praças? Estão pró ou contra?

Aquele olhar esgazeado era efetivamente o de um louco. Hilário e eu trocamos impressões de curiosidade e espanto.

E antes que nos pronunciássemos, começou a chorar convulsivamente, acentuando:

— Quem trouxe aqui a ideia de perdoar? Em que ponto me situaria na questão? Devo perdoar ou ser perdoado? Não entendo a necessidade de discussão acerca de um assunto como esse entre fraca mulher e três crianças... Comentários dessa natureza devem ser reservados para pessoas aflitas como eu, que trazem um vulcão no centro do crânio...

Assim dizendo, alteraram-se-lhe as feições fisionômicas.

Afigurou-se-nos mais distante da realidade, mais inconsciente.

Gritando quase, continuou:

— Tudo teria sido modificado se me houvessem facultado o encontro com o novo generalíssimo... Sua Alteza compreender-me-ia a situação. Era propósito do marechal requisitar-me para seu serviço exclusivo; entretanto, por influência do meu miserável perseguidor, sofri transferência injusta...

Nosso inesperado amigo vasculhou com os olhos os recantos da sala, qual se temesse a presença de alguma testemunha invisível, e prosseguiu:

— Ouçam, porém, o que lhes digo! Ele não somente pretendia afastar-me dos favores do marechal doente, mas planejava furtar-me a mulher... Lola Ibarruri! Como não haveria de querê-la com a paixão que me inspirou? Por que teria eu de seguir para Fecho dos Morros? O intento de me prejudicarem era evidente. Sem dúvida, fui constrangido a sair, mas não fui além de Tacuaral. O general Polidoro não me abandonaria... Devia regressar a Luque e regressei... O infame Esteves, contudo, agira sem descansar... Além de assaltar-me os direitos de enfermeiro no quartel-general, desviara a atenção de Lola... A formosa

Ibarruri não mais me pertencia. Entregara-se ao amigo desleal... Nossa pequena chácara de laranjeiras e nosso jardim estavam esquecidos... Quem disse que não me sacrifiquei na aquisição da encantadora casinha, por mim confiada à pérfida mulher? Durante um mês longo e terrível, suspirei pelo retorno aos carinhos dela... Quando tornei ao lar, naquela estrelada noite de maio, encontrei-a nos braços do traidor... Lola tentou desculpar-se, mas surpreendi-os juntos... Quis vingar-me, de imediato, espetando-o com meu punhal; todavia, as tropas deixariam a cidade daí a três dias, e o meu inimigo, que se esgueirara na sombra, ante a minha aproximação deu-se pressa em viajar, a serviço, no rumo de Itauguá... O ódio passou a dominar-me, enceguecendo-me... Encontrá-lo-ia em alguma parte, abraçá-lo-ia com a mesma cordialidade fingida com que me abraçara pela primeira vez e arrancar-lhe-ia a vida... Assim fiz... Aparentei ignorar a realidade e busquei-o, sorrindo... e, sorrindo, envenenei-o... Creiam, contudo, que somente me abalancei a semelhante ato porque ele era impudente, libertino, cruel... Assassinar-me-ia se eu não tivesse o arrojo de liquidá-lo...

Fez breve pausa e, em seguida, ajoelhando diante de nós, passou a clamar, de novo, em alta voz:

— Oh!... para mim, estou certo de que pratiquei a justiça, mas este homem realmente não me abandona! Lutei tanto!... Casei-me e organizei grande família!... Devotei-me à Religião, desfrutei os benefícios dos santos sacramentos e admiti que tudo estivesse amplamente solucionado; entretanto, depois de retirar-me do corpo físico sob a imposição da velhice e da enfermidade, longe de encontrar o céu que parece cada vez mais distante de mim, reconheço que este homem continua a perseguir-me por dentro!... Faz muitos anos que me despedi dos ossos fatigados e perambulo, aflito e infeliz, carregando o inferno dentro de mim!... A princípio, procurei o sepulcro, na esperança de soerguer meus restos e, escondendo-me neles, esquecer... esquecer... Compreendendo, porém, que meu desejo era de todo frustrado, fugi para sempre do lugar que me asila os despojos e devoro ruas e praças, buscando autoridades que me socorram...

Depois de passar as mãos pelo rosto, enxugando as lágrimas, continuou:

— Ó senhores, por quem são!... Ainda mesmo que o meu erro fosse tão clamoroso assim, tanto tempo de convívio com este monstro a fitar-me, imperturbável, não bastaria à expiação que me compete ao resgate? Se eu confessasse o crime e me demorasse por menos tempo no cárcere, não estaria redimido, diante dos tribunais?

Sentindo que algo nos caberia dizer à guisa de consolo, afaguei-lhe a cabeça branca e falei, tentando ser gentil:

— Acalme-se, meu irmão! Quem de nós não terá desacertado no caminho da vida? Sua dor não é única... Também nós trazemos o espírito pejado de aflitivas recordações. As lágrimas de desesperação desajudam a alma...

Pelas citações que ouvíramos, percebi que o nosso interlocutor se reportava ao tempo da Guerra do Paraguai e, buscando penetrar o labirinto de suas palavras que estabeleciam ligação do passado com o presente, indaguei:

— A que novo generalíssimo se refere?

— Ah! Ignoram?

E, dando-nos a ideia de quem vivia profundamente arraigado a particularidades do pretérito, aduziu:

— Recordo-me com precisão... Sim, a proclamação dele era de 16 de abril... O príncipe D. Gastão de Orléans era o novo comandante em chefe, mas muito me pesava o afastamento do marechal...

— Qual deles? — perguntei, reavivando-lhe a memória.

— O marechal Guilherme Xavier de Souza. Era meu amigo, meu protetor... Doente, cansado, precisava de mim... contudo, afastaram-me dele... Esteves, o cão infiel...

Nesse instante, porém, a voz extinguiu-se-lhe na garganta. Esbugalharam-se-lhe os olhos e, como se estivesse atenazado no íntimo por forças terríveis, insondáveis à nossa observação, começou a queixar-se desesperado:

— Ah! não posso continuar!... Ele, novamente ele, a crescer dentro de mim! Observa-me com asco e ainda lhe ouço as últimas palavras no estertor da morte... Não! Não! — bradava ele, agora, com evidentes sinais de angústia. — Hei de libertar-me! Hei de libertar-me! Tenho fé!...

Comovidamente, acerquei-me do pobrezinho e considerei:

— Sim, meu amigo, a fé representa o milagroso salva-vidas de todos os náufragos. Você tem orado? Tem pedido a Jesus amparo e assistência?

— Sim, sim...

— E ainda não lhe chegou qualquer sinal de socorro celeste?

O infortunado centralizou em mim o olhar inquieto e informou:

— Há alguns dias, fui à Igreja do Rosário, recordando como sempre a visita que fiz até lá, na véspera de minha partida para a guerra, e tanto rezei que tive a felicidade de ver o Marechal, que me apareceu, de súbito... Estava mais moço e incompreensivelmente refeito... Roguei-lhe proteção, ao que me respondeu, informando que o meu caso seria tomado em apreço, que eu descansasse, pois ainda que os nossos erros sejam grandes, maior é a compaixão de Deus que nunca nos desampara...

E, exibindo um gesto de profundo abatimento, acrescentou:

— Mas, até agora, não tive o menor sinal de renovação do caminho...

Acariciei-lhe a nevada cabeça e considerei comovidamente:

— Esteja convencido, porém, de que a bondade de Jesus não nos faltará.
— Prometa ajudar-me! Compadeça-se de mim! — gritou o infeliz.

De coração, intimamente tocado por semelhante apelo, hipotequei-lhe a decisão de colaborar em sua paz e soerguimento.

Quando o infortunado ancião procurava abraçar-me, Clarêncio chegou, guiando a outra pupila que nos acompanharia na excursão.

Simpática e humilde, após cumprimentar-nos, manteve-se a distância. O mentor, num átimo, compreendeu o que se passava. Vimo-lo concentrar-se por momentos, densificando-se para auxiliar com mais presteza.

Saudado pelo velhinho, afagou-lhe a fronte e avisou-nos:
— Permanece dementado. A mente dele fixou-se em recordações que o obcecam.

Mais experiente que nós outros, guardou-o nos braços com paternal carinho, conquistando-lhe a confiança, e inquiriu:
— Que procura, meu irmão?
— Venho suplicar o socorro de Antonina, minha neta. É a única pessoa que se lembra de mim com amor... Dentre os numerosos membros de minha família, só ela me oferece asilo na oração...

E, porque reiniciasse as referências lamuriosas, o ministro colocou a destra sobre a cabeça de nosso interlocutor, como a sondar-lhe o íntimo em minuciosa perquirição, e, em seguida, informou:
— Temos aqui nosso irmão Leonardo Pires, desencarnado há cerca de vinte anos... Quando jovem, foi empregado do marechal Guilherme Xavier de Souza e hoje conserva a mente detida num crime de envenenamento em que se envolveu, quando integrava as forças brasileiras acampadas em Piraju, no

.7 Paraguai. Podemos conhecer o delito, em suas particularidades, na tela das recordações que o atormentam... É um domingo de festa em campanha... 11 de julho de 1869... A missa é celebrada em pleno campo por um frade capuchinho... O Conde d'Eu, com a luzida oficialidade do seu quartel-general, está presente... Nosso amigo, muito moço ainda, aparece no corpo da infantaria. Não se mostra, porém, interessado nas graves advertências do sacerdote, no ato religioso, nem no apelo ardente e patriótico do generalíssimo, que pronuncia brilhante e inspirada alocução para os comandados... Fita com impertinência um companheiro recém-chegado de Itauguá, enfermeiro em serviços especiais... É José Esteves, irrequieto brasileiro de olhos escuros e inteligentes, de garboso porte, com os seus 30 anos benfeitos... Partilha com o nosso amigo o afeto de linda mulher desquitada, que abandonou o marido e um filho pelo prazer da aventura... Pires, o irmão que observamos, inconformado com os favores da criatura amada para com o patrício que ele odeia, finge ignorar-lhe a situação e insinua-se maneiroso e gentil... Terminada a festa, convida Esteves para refeição mais íntima... E, juntos, comentam entusiásticos as noitadas do Rio, ansiosos pelo retorno às seduções da retaguarda... Esteves entrosa-se com as impressões de Leonardo, confia nele e conversa, loquaz, até que o vingativo colega, na taverna improvisada, lhe oferece um copo de vinho com o veneno fatal... O companheiro bebe, experimenta estranhas vertigens e morre praguejando... O acontecimento é recebido com admiração... Um médico argentino é chamado a opinar e verifica o envenenamento; contudo, as autoridades julgam o silêncio mais acertado... As tropas deveriam seguir rumo a Paraguari e o caso é encerrado sem maior investigação... Leonardo acompanha o Exército para a vanguarda e tenta esquecer o ocorrido... Convive ainda com a requestada mulher, por mais algum tempo, mas, de regresso à terra natal, desinteressa-se dela e casa-se no Brasil, deixando vários descendentes... Desencarna valetudinário; todavia, no leito de morte, reconhece que a lembrança do crime lhe castiga o mundo interior... Olvida quase todos os demais episódios da existência para centralizar-se apenas nesse... José Esteves já reencarnou, demorando-se agora em outros setores de luta, mas Leonardo Pires vive com a imagem do assassinado que se revitaliza, cada dia, na memória dele, ao influxo das sugestões da própria consciência que se considera culpada... Como vemos, é a Lei de Causa e Efeito a cumprir-se, natural...

Nesse instante, porém, Antonina, em seu veículo sutil, surgiu à porta da câmara em que o seu corpo dormia, vindo ao nosso encontro.

8
Deliciosa excursão

1   O velhinho desencarnado demonstrava absoluta indiferença ante a descrição do nosso orientador, mas, como se a presença da nobre senhora lhe despertasse novo interesse, fitou-a, de olhos subitamente iluminados, e bradou:

— Antonina! Antonina!... Socorre-me. Tenho medo! Muito medo!...

A interpelada, que fora do corpo denso se mostrava muito mais delicada e mais bela, fixou-o, triste, e inquiriu com amargurado semblante:

— Vovô, que fazes?

O ancião curvou-se e implorou:

— Ajuda-me! Todos na família me esqueceram, com exceção de ti. Não me abandones!... Ele, o meu ferrenho inimigo, me tortura por dentro. Assemelha-se a um demônio, morando em minha consciência...

Tentava agora enlaçá-la, aflito, mas Clarêncio interferiu, indicando-nos:

— Ouça, amigo! Nossos irmãos prometeram ampará-lo e, decerto, cumprirão a palavra. Nossa abnegada Antonina, no momento, precisa ausentar-se, em nossa companhia, por algumas horas.

E, abraçando-o paternal, recomendou:

— Você pode igualmente auxiliá-la. Guarde-lhe a casa, enquanto os meninos repousam. Amanhã, receberá, por sua vez, o socorro de que necessita.

O velho sorriu conformado e aquietou-se.

Deixando-o a sós, na sala estreita, saímos para a noite.

Entrelaçando as mãos e conservando nossas irmãs no circuito fechado de nossas forças, empreendemos a formosa romagem.

Quem na Terra poderá imaginar as deliciosas sensações da alma livre?

Viajando com a rapidez do pensamento, avançamos à frente da sombra noturna, largando para trás o deslumbramento da aurora, em colorido e cantante dilúculo...[3]

Atingindo formosa paisagem, banhada de suave luz, em que um parque imponente e acolhedor se distendia, fixei o semblante de nossas companheiras, que se mostravam extáticas e felizes.

Dona Antonina, amparando-se em Clarêncio qual se fora uma filha apoiada nos braços paternos, inquiriu maravilhada:

— Por que não transformar esta excursão em transferência definitiva? Pesa o corpo, à maneira de insuportável cruz de carne, quando conseguimos sentir a Terra, de longe...

— É verdade — concordou a outra irmã, que se sustentava em nós —, por que não nos é dado permanecer, olvidando os pesares e os dissabores do mundo?

— Compreendemos — ajuntou o ministro, generoso —, compreendemos quanta inquietação punge o espírito reencarnado,

---

[3] N.E.: Claridade que aponta o início da manhã, antes do nascer do Sol; aurora.

mormente quando desperto para a beleza da vida superior; entretanto, é indispensável saibamos louvar a oportunidade de servir, sem jamais desmerecê-la. Achamo-nos ainda distantes da redenção total e todos nós, com alternativas mais ou menos longas, devemos abraçar a luta na carne, de modo a solver com dignidade nossos velhos compromissos. Somos viajores nos milênios incessantes. Ontem fomos auxiliados, hoje nos cabe auxiliar.

À medida que avançávamos, ondas de perfume acentuavam-se, em torno de nós, revigorando-nos as energias e induzindo-nos a respirar a longos sorvos.

Flores de contextura delicada pendiam abundantemente de árvores vigorosas, embalsamando as leves virações que sussurravam encantadoras melodias...

Como se trouxesse agora todo o busto engrinaldado de luz, Clarêncio sorria bondoso.

Emudecera-se-lhe a palavra.

Sentíamo-nos todos magnetizados e enternecidos ante a beleza do quadro que nos prendia a admiração.

Antonina, porém, como se estivesse irradiando insopitável curiosidade, mesclada de alegria, voltou a exclamar:

— Ah! se *morrêssemos* hoje!... Se a carne não nos pesasse mais!...

O ministro, contudo, imprimindo mais grave entonação à voz, mas sem perder a brandura que lhe era peculiar, considerou de imediato:

— Se hoje abandonassem o veículo de matéria densa, quem diz que seriam felizes? Quem de nós obterá a suprema ventura, sem a perfeita sublimação pessoal?

E, fitando Antonina com bondade misturada de compaixão, observou:

— Agora, vocês visitarão filhinhos abençoados que a morte lhes arrebatou temporariamente ao convívio terrestre. Vocês se sentem como que num palácio dourado, em pleno paraíso de amor, mas e os filhinhos que ficam? Haverá Céu sem a presença daqueles que amamos? Teremos paz sem alegria para os que moram em nosso coração? Imaginemos que as algemas do cárcere físico se partissem agora... O atormentado lar humano cresceria de vulto na saudade que as tomaria de assalto... A lembrança dos filhos aprisionados no planeta acorrentá-las-ia ao mundo carnal, à maneira de forte raiz retendo a árvore no solo escuro. Os rogos e os gemidos, as lutas e as provas dos rebentos menos felizes da existência lhes falariam ao espírito mais imperiosamente que os cânticos de bem-aventurança dos filhos afortunados e, naturalmente, desceriam do Céu para a Terra, preferindo a posição de angustiadas servas invisíveis, trocando a resplendente glória da liberdade pelos dolorosos padecimentos da prisão, uma vez que a ventura maior de quem ama reside em dar de si mesmo, a favor das criaturas amadas...

As duas mulheres ouviram as sensatas ponderações sem dizer palavra.

Finda a pausa ligeira, o instrutor continuou:

— Somos devedores uns dos outros!... Laços mil nos jungem os corações. Por enquanto, não há paraíso perfeito para quem volta da Terra, tanto quanto não existe purgatório integral para quem regressa ao humano sorvedouro! O amor é a força divina, alimentando-nos em todos os setores da vida, e o nosso melhor patrimônio é o trabalho com que nos compete ajudar-nos mutuamente.

Na paisagem banhada de luz, experimentei mais alta veneração pela Natureza, que, em todas as esferas, é sempre um livro revelador da Eterna Sabedoria...

Nossas irmãs, tocadas por júbilo inexprimível, afiguravam-se-me formosas madonas de sonho, repentinamente vivificadas, diante de nós.

— É pelo trabalho — prosseguiu o orientador — que nos despojamos, pouco a pouco, de nossas imperfeições. A Terra, em sua velha expressão física, não é senão energia condensada em época imemorial, agitada e transformada pelo trabalho incessante, e nós, as criaturas de Deus, nos mais diversos degraus da escada evolutiva, aprimoramos faculdades e crescemos em conhecimento e sublimação, por meio do serviço... O verme, arrastando-se, trabalha em benefício do solo e de si mesmo; o vegetal, respirando e frutescendo, ajuda a atmosfera e auxilia-se. O animal, em luta perene, é útil à gleba em que se desenvolve, adquirindo experiências que lhe são valiosas, e nossa alma, em constantes peregrinações, por formas variadas, conquista os valores indispensáveis à sublime ascensão... Somos filhos da eternidade, em movimentação para a glória da verdadeira vida, e só pelo trabalho, ajustado à Lei Divina, alcançaremos o real objetivo de nossa marcha!

Antonina, que parecia mais acordada que a sua companheira, para a contemplação do excelso quadro que nos circundava, perguntou com enlevo:

— Por que não guardamos a viva recordação de nossas existências anteriores? Não seria bendita felicidade o reencontro consciente com aqueles que mais amamos?!...

— Sim, sim... — confirmava Clarêncio, enquanto nossa deliciosa excursão prosseguia célere — mas, na condição espiritual em que ainda nos situamos, não sabemos orientar os nossos desejos para o melhor. Nosso amor ainda é insignificante migalha de luz, sepultada nas trevas do nosso egoísmo, qual ouro que se acolhe no chão, em porções infinitesimais, no corpo gigantesco da escória. Assim como as fibras do cérebro são as últimas a se consolidarem no veículo físico em que encarnamos na Terra, a memória perfeita é o derradeiro altar que instalamos, em definitivo, no templo de nossa alma, que, no planeta, ainda se encontra em fases iniciais de desenvolvimento. É por isso que nossas recordações são fragmentárias... Todavia, de existência a existência, de ascensão em ascensão, nossa memória gradativamente converte-se em visão imperecível, a serviço de nosso espírito imortal...

— Mas se pudéssemos reconhecer no mundo os nossos antigos afetos, se pudéssemos rever os semblantes amigos de outras eras, identificando-os... — aventurou Antonina, reverente.

— Retomar o contato com os melhores seria recuperar igualmente os piores — atalhou Clarêncio, bondoso — e, indiscutivelmente, não possuímos até agora o amor equilibrado e puro, que se consagra aos desígnios superiores, sem paixão. Ainda não sabemos querer sem desprezar, amparar sem desservir. Nossa afetividade, por enquanto, padece deploráveis inclinações. Sem o esquecimento transitório, não saberíamos receber no coração o adversário de ontem para regenerar-nos, regenerando-o. A Lei é sábia. De qualquer modo, porém, não olvidemos que nosso espírito assinala todos os passos da jornada que lhe é própria, arquivando em si mesmo todos os lances da vida, para formar com eles o mapa do destino, de acordo com os princípios de causa e efeito que nos governam a estrada, mas somente mais tarde, quando o amor e a sabedoria sublimarem a química dos nossos pensamentos, é que conquistaremos a soberana serenidade, capaz de abranger o pretérito em sua feição total...

O ministro fez ligeiro intervalo, sorriu paternalmente para nós e rematou:

— A Lei, contudo, é invariavelmente a Lei. Viveremos em qualquer parte, com os resultados de nossas ações, assim como a árvore, em qualquer trato do solo, produzirá conforme a espécie a que se subordina.

O firmamento parecia responder às sugestões da palestra admirável.

Bandos de aves mansas pousavam na ramaria que brilhava não longe de nós.

O Sol apresentava perceptíveis raios diferentes, até agora desconhecidos à apreciação comum na Terra, provocando indefiníveis combinações de cor e luz.

Por abençoada e colorida colmeia de amor, harmonioso casario surgiu ao nosso olhar.

Centenas de gárrulas crianças brincavam entre fontes e flores de maravilhoso jardim.

9
No Lar da Bênção

1   Clarêncio movimentou a destra, indicando-nos o quadro sublime a desdobrar-se sob a nossa vista.

Doce melodia que enorme conjunto de meninos acompanhava, cantando um hino delicado de exaltação do amor materno, vibrava no ar.

Aqui e ali, sob tufos de vegetação verde-clara, muitas senhoras sustentavam lindas crianças nos braços.

— É o Lar da Bênção — informou o instrutor, satisfeito. — Nesta hora, muitas irmãs da Terra chegam em visita a filhinhos desencarnados. Temos aqui importante colônia educativa, misto de escola de mães e domicílio dos pequeninos que regressam da esfera carnal.

O ministro, porém, interrompeu-se, de improviso.

Nossas companheiras pareciam agora tomadas de jubilosa aflição.

Vimo-las desgarrar, de inopino, qual se fossem atraídas por forças irresistíveis, precipitando-se para os anjinhos que cantarolavam alegremente. Enquanto a que nos era menos conhecida enlaçava louro petiz, com infinito contentamento a expressar-se em lágrimas, dona Antonina abraçava um pequeno de formoso semblante, gritando feliz:

— Marcos! Marcos!...

— Mãezinha! Mãezinha!... — respondeu a criança, colando-se-lhe ao peito.

Clarêncio fez sinal para as irmãs vigilantes, que se responsabilizavam pelos entretenimentos no parque, como a solicitar-lhes proteção e carinho para as nossas associadas de excursão, e disse-nos, em seguida:

— O pequeno Júlio não se encontra no grupo. Ainda sofre anormalidades que lhe não permitem o convívio com as crianças felizes. Acha-se no lar da irmã Blandina. Rumemos para lá.

Em poucos minutos, chegávamos diante de pequenino castelo muito alvo, em que se destacavam as ogivas azuis, coroadas de trepadeiras em flor.

Atravessamos extenso jardim, embalsamado de aroma.

Rosas opalinas, ignoradas na Terra, de mistura com outras flores, desabrochavam profusamente.

A irmã Blandina recebeu-nos sorridente, apresentando-nos uma senhora simpática que lhe fora avozinha no mundo.

Mariana, nossa nova amiga, cumprimentou-nos bondosa.

Findas as saudações usuais, Clarêncio tocou direto no assunto.

Desejávamos avistar o pequeno Júlio, que havia desencarnado por afogamento.

Blandina, que em plena juvenilidade trazia nos olhos os característicos de sublime madureza de espírito, respondeu gentilmente:

— Ah! com muito prazer!

3   E, encaminhando-nos a iluminada peça, ornamentada de róseos enfeites, onde um menino repousava num leito muito branco, explicou, sem afetação:

— Nosso Júlio, até hoje, ainda não se refez completamente. Ainda grita sob pesadelos inquietantes, como se estivesse a sofrer sob as águas. Chama pelo pai constantemente, apesar de parecer mais receptivo ao nosso carinho. Insiste pela volta a casa, todos os dias.

Acercamo-nos do berço largo em que descansava.

O menino lançou-nos um olhar de atormentada desconfiança, mas, contido pela ternura da irmã que o assistia, permaneceu mudo e impassível.

— Ainda não se mostrou em condições de partilhar os estudos com os outros? — perguntou o ministro, interessado.

— Não — informou a interpelada, solícita —, aliás, os nossos benfeitores Augusto e Cornélio, que nos amparam frequentemente, são de parecer que ele não conseguirá adquirir aqui qualquer melhora real, antes da reencarnação que o aguarda. Traz a mente desorganizada por longa indisciplina.

Bem-humorada, acrescentou:

— É um paciente difícil. Felizmente, dispomos da cooperação de nossa devotada Mariana, que o adotou por filho espiritual, até que retorne ao lar terrestre. Foi preciso segregá-lo neste quarto, tamanha é a gritaria a que se entrega por vezes.

— Mas não tem recebido o tratamento magnético aconselhável? — indagou Clarêncio, atencioso.

— Diariamente recebe o auxílio necessário — esclareceu Blandina, com humildade —, eu mesma sou a enfermeira. Passes e remédios não faltam.

— E a irmã conhece o caso em suas particularidades?

— Sim, conheço. Eulália tem vindo até nós. Lastimo que a mãezinha de nosso doente não esteja em condições de ampará-lo.

Creio que o concurso dela poderia insuflar-lhe novas forças. Entretanto, com exceção da irmãzinha que se lembra dele nas orações, ninguém mais da família o ajuda.

— Mãezinha! Mãezinha!... — clamou o pequeno, em voz rouca, erguendo-se e enlaçando Blandina, pálido e inquieto.

— Que te incomoda, meu filho?

— Dói-me a garganta... — lamentou-se o rapazinho.

A jovem benfeitora abraçou-o, osculando-lhe os cabelos, e recomendou:

— Não te aflijas. Como é que um moço de teu valor pode chorar assim por nada? Imagina! Temos três médicos em casa. É impossível que a dor não fuja apressada.

Logo após, sentou-o numa poltrona e solicitou a colaboração de Clarêncio.

O ministro, cuidadoso, pediu-lhe abrisse a boca e, surpreendidos, notamos que a fenda glótica, principalmente na região das cartilagens aritenoides,[4] apresentava extensa chaga.

O orientador aplicou-lhe recursos magnéticos especiais e, em poucos instantes, Júlio voltou à tranquilidade.

— Então — falou Blandina, amparando-o afetuosa —, onde está agora a garganta dolorida?

E, visivelmente satisfeita, acrescentou:

— Já agradeceste ao nosso benfeitor, meu filho?

O menino, hesitante, caminhou para o ministro, beijou-lhe a destra com respeitoso carinho e balbuciou:

— Muito agradecido.

Blandina ia dizer algo, mas Júlio correu para o seu regaço, choramingando:

— Mãezinha, tenho sono...

---

[4] N.E.: Par de pequenas pirâmides de cartilagem que fazem parte da laringe. Nestas cartilagens as cordas vocais são anexadas.

A abnegada jovem acolheu-o com ternura, reconduzindo-o ao repouso.

Quando tornou à sala, Clarêncio informou que doara ao enfermo energias anestesiantes. Notara-o fatigado, resolvendo, por isso, induzi-lo ao descanso.

E, talvez porque nos percebesse o cérebro esfogueado de indagações quanto àquela minúscula garganta ferida, depois da morte do corpo, o ministro explicou:

— É pena. Júlio envolveu-se em compromissos graves. Desentendendo-se com alguns laços afetivos do caminho, no século passado, confiou-se a extrema revolta, aniquilando o veículo físico que lhe fora emprestado por valiosa bênção. Rendendo-se à paixão, sorveu grande quantidade de corrosivo. Salvo, a tempo, sobreviveu à intoxicação, mas perdeu a voz, em razão das úlceras que se lhe abriram na fenda glótica. Ainda aí, não se conformando com o auxílio dos colegas que o puseram fora de perigo, alimentou a ideia de suicídio, sem recuar. Foi assim que, não obstante enfermo, burlou a vigilância dos companheiros que o guardavam e arrojou-se a funda corrente de um rio, nela encontrando o afogamento que o separou do envoltório carnal. Na vida espiritual, sofreu muito, carregando consigo as moléstias que ele mesmo infligira à própria garganta e os pesadelos da asfixia, até que reencarnou, junto das almas com as quais se mantém associado para a regeneração do pretérito. Infelizmente, porém, encontra dificuldades naturais para recuperar-se. Lutará muito, antes de incorporar-se a novo patrimônio físico.

Registrávamos aqueles apontamentos com dolorosa admiração. Uma criança doente é sempre um espetáculo comovedor.

Não nos atrevíamos a manifestar nossos pensamentos de estranheza; todavia, o prestimoso amigo, assinalando-nos decerto as dúvidas, acentuou:

— Há poucos instantes, comentávamos a sublimidade da Lei. Ninguém pode trair-lhe os princípios. A Bondade Divina nos assiste, de múltiplas maneiras, amparando-nos o reajustamento, mas em todos os lugares viveremos jungidos às consequências dos próprios atos, uma vez que somos herdeiros de nossas próprias obras.

O assunto constituía preciosa sugestão para interessantes estudos, mas, antes de enunciar qualquer pergunta, busquei aspirar, a longos haustos, as baforadas frescas de vento, que carreavam para o recinto vagas sucessivas de agradável perfume.

10
Preciosa conversação

1   Blandina, que parecia bastante versada nas questões da infância, associando-se à conversação que Clarêncio desenvolvia, considerou, com interesse:

— Efetivamente, a Lei é invariável; contudo, a criança desencarnada muitas vezes é problema aflitivo. Quase sempre dispõe de afeiçoados que a seguem, de perto, amparando-lhe o destino; entretanto, tenho observado milhares de meninos que, pela natureza das provações em que se envolveram, sofrem muitíssimo, à espera de oportunidades favoráveis para a aquisição dos valores de que necessitam.

E, sorrindo bondosa, acrescentou:

— O caso de Júlio não é para mim dos mais dolorosos. Tenho visitado departamentos de reajuste em que se demoram irmãos nossos, arrancados à carne, violentamente, como frutos verdes da árvore em que se desenvolvem... Processos de mente enfermiça que só abençoadas estações regenerativas na carne conseguem curar...

— Poderíamos receber de sua experiência alguns exemplos objetivos? — indagou Hilário, curioso.

— Ah! são muitos!... — ponderou a nossa interlocutora, gentil. — Temos para demonstração mais prática os absurdos da megalomania intelectual. Há pessoas, na Terra, que não se acautelam contra os desvarios da inteligência e fazem da astúcia e da vaidade o clima em que respiram. Insistem na inércia do coração, abominam o sentimento elevado que interpretam por pieguismo e transformam a cabeça num laboratório de perversão dos valores da vida. Não cuidam senão dos próprios interesses, não amam senão a si mesmos. Não percebem, contudo, que se ressecam interiormente e nem imaginam os resultados cruéis da cerebração para o mal. Frequentemente, na luta mundana, avultam na condição de dominadores poderosos, com vastíssimo potencial de influência sobre amigos e adversários, conhecidos e desconhecidos. Mas esse êxito é ilusório. Caem sob o guante da morte com grande alívio dos contemporâneos e passam a receber-lhes as vibrações de repulsa. Semelhantes criaturas naturalmente são vítimas de si mesmas e sofrem os mais complicados desequilíbrios mentais. Depois de períodos mais ou menos longos de purgação, após a transição da morte, voltam à carne, necessitados de silêncio e solidão para se desvencilharem dos envoltórios inferiores em que se enredaram, assim como a semente precisa do isolamento na cova escura para desintegrar os elementos pesados que a constringem, para novo desabrochar.

A moça esboçou inteligente sorriso e continuou:

— Imaginemos que a terra se recusasse a auxiliar as sementes que esperam reviver. O solo expulsá-las-ia, e, em vez dos germens libertados para a vitória da plantação, teríamos tão somente pevides secas, em aflitiva inquietude, desorientando a lavoura. Em verdade, a maioria das mães é constituída por sublime falange de almas nas mais belas experiências de amor e sacrifício, carinho e renúncia, dispostas a sofrer e a morrer pelo bem-estar dos rebentos que a Providência Divina lhes confiou às mãos ternas e devotadas; contudo, há mulheres cujo coração ainda se encontra em plena sombra. Mais fêmeas que mães, jazem obcecadas pela ideia do prazer e da posse e, despreocupando-se dos filhinhos, lhes favorecem a morte. O infanticídio inconsciente e indireto é largamente praticado no mundo. E como o débito reclama resgate, as delongas na solução dos compromissos assumidos acarretam enormes padecimentos nas criaturas que se submetem aos choques biológicos da reencarnação e veem prejudicadas as suas esperanças de quitação com a Lei.

3   Ante a pausa que se fizera natural, inquiri:

— Mas a Lei não traçará princípios inamovíveis? Pretenderá a irmã dizer que uma criança pode desencarnar fora do dia indicado para a sua libertação?

— Sim, sem dúvida — atalhou o ministro, que nos escutava —, há um programa estruturado na Espiritualidade para as nossas tarefas humanas; entretanto, pertence-nos a condução dos próprios impulsos dentro delas. Em regra geral, multidões de criaturas cedo se afastam do veículo carnal, atendendo a serviços de socorro e sublimação, mas, em numerosas circunstâncias, a negligência e a irreflexão dos pais são responsáveis pelo fracasso dos filhinhos.

— Aqui — explicou Blandina, delicada —, recebemos muitas solicitações de assistência, em benefício de pequeninos ameaçados de frustração. Temos irmãs que, por nutrirem pensamentos infelizes, envenenam o leite materno, comprometendo a estabilidade orgânica dos recém-natos; vemos casais que, em rixas incessantes, projetam raios magnéticos de natureza mortal sobre os filhinhos tenros, arruinando-lhes a saúde, e encontramos mulheres invigilantes que confiam o lar a pessoas ainda animalizadas, que, à cata de satisfações doentias, não se envergonham de ministrar hipnóticos a entezinhos frágeis, que reclamam desvelado carinho... Em algumas ocasiões, conseguimos restabelecer a harmonia, com a recuperação desejável; no entanto, muitas vezes somos constrangidas a assistir ao malogro de nossos melhores propósitos.

— Nesses casos... — interferi, buscando maiores esclarecimentos.

Blandina, porém, percebendo-me a indagação íntima, adiantou:

— Nesses casos, ainda e sempre, a Lei é invariável. As provas e tarefas sofrem dilação no tempo, mas serão cumpridas, afinal. Aquilo que não se realiza num século pode efetuar-se em outro. Nossa boa vontade e nossa aplicação aos Desígnios Divinos podem abreviar qualquer espécie de serviço. Quem persiste na direção do bem mais cedo atinge a vitória.

E com o formoso sorriso que lhe bailava no semblante juvenil, acrescentou:

— Não vale fugir às responsabilidades, porque o tempo é inflexível e porque o trabalho que nos compete não será transferido a ninguém.

Hilário, que acompanhava a conversação com extremo interesse, considerou:

— Antigamente, na Terra, conforme a Teologia clássica, supúnhamos que os inocentes, depois da morte, permaneciam recolhidos ao descanso do limbo, sem a glória do Céu e sem o tormento do inferno, e, nos últimos tempos, com as novas concepções do Espiritualismo, acreditávamos que o menino desencarnado retomasse, de imediato, a sua personalidade de adulto...

— Em muitas situações, é o que acontece — esclareceu Blandina, afetuosa —; quando o Espírito já alcançou elevada classe evolutiva, assumindo o comando mental de si mesmo, adquire o poder de facilmente desprender-se das imposições da forma, superando as dificuldades da desencarnação prematura.

Conhecemos grandes almas que renasceram na Terra por brevíssimo prazo, simplesmente com o objetivo de acordar corações queridos para a aquisição de valores morais, recobrando, logo após o serviço levado a efeito, a respectiva apresentação que lhes era costumeira. Contudo, para a grande maioria das crianças que desencarnam, o caminho não é o mesmo. Almas ainda encarceradas no automatismo inconsciente, acham-se relativamente longe do autogoverno. Jazem conduzidas pela natureza, à maneira das criancinhas no colo maternal. Não sabem desatar os laços que as aprisionam aos rígidos princípios que orientam o mundo das formas e, por isso, exigem tempo para se renovarem no justo desenvolvimento. É por esse motivo que não podemos prescindir dos períodos de recuperação para quem se afasta do veículo físico, na fase infantil, uma vez que, depois do conflito biológico da reencarnação ou da desencarnação, para quantos se acham nos primeiros degraus da conquista de poder mental, o tempo deve funcionar como elemento indispensável de restauração. E a variação desse tempo dependerá da aplicação pessoal do aprendiz à aquisição de luz interior, pelo próprio aperfeiçoamento moral.

Encantava-nos a exposição clara e simples de nossa interlocutora, cuja palavra tangia com tanta felicidade graves problemas da vida.

Em suas fórmulas verbais singelas e acessíveis, penetrávamos inquietantes enigmas da puericultura.

Blandina sabia associar a compreensão e a graça, instruindo-nos com discernimento.

Comovido, diante das anotações que lhe definiam a valiosa posição cultural, ponderei:

— Usando semelhantes apontamentos, podemos entender, com mais segurança, os processos dolorosos das enfermidades congênitas e das moléstias insidiosas que assaltam a meninice no mundo. Sempre fui possuído de aflitivo assombro, à frente do mongolismo[5] e da epilepsia, da encefalite letárgica e da meningite, da lepra[6] e do câncer, na tenra organização infantil...

— E que dizer dos desastres irremediáveis — considerou Hilário, com emoção —, dos desastres que arrebatam adoráveis flores do lar, deixando inconsoláveis pais e mães? Por vezes numerosas, procurei resposta às terríveis inquirições que nos atormentam, perante corpinhos dilacerados, nos hospitais de sangue, sem conseguir ausentar-me do escuro labirinto.

— Sim — esclareceu a enfermeira, bondosa —, as reparações nos martirizam na carne, mas, sem elas, não atingiríamos o próprio reajustamento.

— Cada qual de nós renasce na Terra — apreciou o ministro — a exprimir na matéria densa o patrimônio de bens ou males que incorporamos aos tecidos sutis da alma. A patogenia, na essência, envolve estudos que remontam ao corpo espiritual, para que não seja um quadro de conclusões falhas ou de todo irreais. Voltando à Terra, atraímos os acontecimentos agradáveis ou desagradáveis, segundo os títulos de trabalho que já conquistamos ou conforme as nossas necessidades de redenção.

Bem-humorado, acentuou:

— A carne, de certo modo, em muitas circunstâncias não é apenas um vaso divino para o crescimento de nossas potencialidades, mas também uma espécie de carvão milagroso, absorvendo-nos os tóxicos e resíduos de sombra que trazemos no corpo substancial.

---

[5] N.E.: Na época em que esta obra foi escrita, esse termo era comum, mas atualmente é considerado pejorativo e/ou preconceituoso. Síndrome de Down ou Trissomia do cromossoma 21 é um distúrbio genético causado pela presença de um cromossomo 21 extra total ou parcialmente.

[6] N.E.: Na época em que esta obra foi escrita, esse termo era comum, mas atualmente é considerado pejorativo e/ou preconceituoso. Hanseníase, morfeia, mal de Hansen ou mal de Lázaro é uma doença infecciosa causada pela bactéria *Mycobacterium leprae* (também conhecida como *bacilo de Hansen*) que afeta os nervos e a pele, podendo provocar danos severos.

Reparei, então, com mais insistência, a figura suave de Blandina. Por que se dedicara ela, assim, a trabalhos tão complexos? Não seria mais justo ouvir aquela conversação dos lábios da simpática Mariana, que ali se achava, junto de nós, em sua posição de matrona respeitável? Externei os meus pensamentos, perguntando, com discrição, à jovem o porquê da grave tarefa de que se incumbia.

Blandina apagou a luz do sorriso que lhe adornava o semblante, como flor aberta que se fechasse, de súbito.

Pesado silêncio pairou no recinto.

Mas, generosa e simples, adoçou a expressão fisionômica e falou, quase conselheiral:

— Fui casada em minha última existência e somente há três anos terrestres me vejo, de novo, na vida espiritual. Não pude acariciar um filhinho, em meus sonhos recentes de mulher, mas hoje sei que preciso reeducar-me no amor de mãe, consoante os débitos que contraí no passado. Realmente, sinto grande afeição pelas crianças; contudo, tenho igualmente enormes dívidas morais para com elas...

O assunto descambava para um círculo particular, que devia ser sagrado aos nossos olhos.

Por isso mesmo, Clarêncio fez mudo sinal para mim e a conversação foi canalizada para outro rumo.

11
Novos apontamentos

1   Hilário, aderindo à renovação da palestra, indagou da irmã Blandina se ela era a dirigente do parque em que nos achávamos, ao que ela informou com humildade:

— Não me atribua tamanho crédito. Tenho tarefas variadas aqui e alhures; entretanto, sou mera servidora. O nosso educandário guarda mais de duas mil crianças, mas, sob os meus cuidados, permanecem apenas doze. Somos um grande conjunto de lares, nos quais muitas almas femininas se reajustam para a venerável missão da maternidade, e conosco multidões de meninos encontram abrigo para o desenvolvimento que lhes é necessário, salientando-se que quase todos se destinam ao retorno à Terra para a reintegração no aprendizado que lhes compete.

— E a direção central? — inquiriu meu colega, esmiuçador.

— Não reside aqui. O parque é uma das várias dependências de vasto estabelecimento de assistência e educação, do qual somos hoje tutelados. No fundo, nossa casa é uma larga escola, dotada com todos os recursos indispensáveis ao nosso aproveitamento. Os melhores processos de habilitação espiritual funcionam conosco, em benefício dos que vão renascer na carne e dos que se dirigirão, mais tarde, às esferas superiores.

— Mas possuem aqui até mesmo os cursos primários de alfabetização?

— Como não? — falou nossa jovem amiga. — Precisamos movimentar todas as medidas de despertamento espiritual ao nosso alcance. A cultura intelectual pode não ser condição básica de nossa felicidade; no entanto, é imperativo de engrandecimento de nossa alma. Quem não sabe ler não sabe ver como deve.

E, sorrindo, acrescentou:

— A evolução, a competência, o aprimoramento e a sublimação resultam do trabalho incessante. Quanto mais se nos avulta o conhecimento, mais nos sentimos distanciados do repouso. A inércia opera a coagulação de nossas forças mentais, nos planos mais baixos da vida. O serviço é a nossa bênção.

Nesse instante, com referências tão sublimes ao trabalho, voltamo-nos instintivamente para a devotada Mariana, que se mantinha silenciosa, ao nosso lado.

Estaria ela ligada aos compromissos de proteção à infância?

À pergunta que Hilário desfechou, com delicadeza fraternal, respondeu polidamente:

— Quanto a mim, coopero com minha neta nos serviços que lhe foram conferidos aqui; entretanto, a minha tarefa pessoal mais importante se verifica num templo católico, a que me vinculei profundamente, quando de minha última reencarnação.

Aquela afirmativa excitava-nos a curiosidade. A alusão a um "templo católico" denunciava filiação sectária.

Mariana, efetivamente, emudecera, enquanto Blandina se confiara a precioso extravasamento de suas elevadas emoções. Estariam, ali, espiritualmente divorciadas uma da outra?

A venerável irmã, que mostrava o halo de simpatia das mulheres admiráveis quando alcançam a madureza, sorriu benevolente e acentuou:

— Não estranhem. Partilho com Blandina o estudo das Leis Divinas para renovar-me em espírito, com vistas ao grande futuro, mas o amor que ainda trago por velhos companheiros de luta humana constrange-me a larga demora, em serviço de cooperação, na antiga casa de fé religiosa a que me afeiçoei.

— Aliás — ponderou o ministro, sensato —, o auxílio divino é como o Sol, irradiando-se para todos. As instituições e as almas que se voltam para o Pai Celestial recebem o suprimento de recursos de que necessitam, segundo as possibilidades de recepção que demonstrem.

Interessado, porém, nos apontamentos que surgiam, cada vez mais valiosos, Hilário indagou:

— Em que base se formará o processo de auxílio nas igrejas? Com o impedimento de nossa comunicação direta, como será possível cooperar em favor dos nossos irmãos católicos-romanos?

— Muito simplesmente — esclareceu Mariana, prestimosa —, o culto da oração é o meio mais seguro para a nossa influência. A mente que se coloca em prece estabelece um fio de intercâmbio natural conosco...

— Mas não de maneira ostensiva — alegou o nosso companheiro estudioso.

— Pelo pensamento — explicou a interlocutora, respeitável. — A intuição beneficia em toda parte, e, quanto mais alto é o teor de qualidades nobres na criatura, mais ampla é a zona lúcida de que se serve para registrar o socorro espiritual. O culto público, indiscutivelmente, qual vem sendo levado a efeito, nos tempos modernos, não favorece o contato das forças superiores com a mente popular. Os interesses rasteiros, conduzidos à igreja, constituem sólido entrave contra o auxílio celeste. E a preocupação de riqueza e pompa, quase sempre mantida pelo sacerdócio nos ofícios, inutiliza, por vezes, os nossos melhores esforços, porque, enquanto a atenção da alma se prende a exterioridades, as forças contrárias ao bem e à luz encontram facilidades positivas para a cultura do fanatismo e da discórdia. Ainda assim, superando tais obstáculos, é sempre possível algo fazer em benefício do próximo.

— Durante a missa, por exemplo — prosseguiu Hilário, observador —, é viável o seu trabalho de cooperação?

Mariana fixou uma expressão facial de bom humor e aduziu:

— Somos grandes falanges de aprendizes da fraternidade, em ação. Por mais desagradáveis se nos mostrem os quadros de luta, a nossa obrigação é servir.

Finda ligeira pausa, continuou:

— Quando a missa obedece a pura convenção social, funcionando como exibição de vaidade ou poder, a nossa colaboração resulta invariavelmente nula.

E sorrindo:

— Que teríamos a fazer num ato bajulatório, em que os devotos da fortuna material ou da perversidade incensam a desregrada conduta de pessoas inescrupulosas? Há missas solenes de consagração a políticos astuciosos e a magnatas do ouro que, em verdade, são reais sacrilégios, em nome do Cristo. Por outro lado, há missas de almas que constituem escárnio à dor dos que foram recolhidos pela morte, quais as que são mandadas celebrar por parentes ambiciosos que, por vezes, até mesmo se alegram com a ausência do morto, ávidos que se mostram de lhes pilharem os despojos, na corrida a testamentos e cartórios. Essas missas fortemente adubadas a dinheiro estão para eles tão frias, como os túmulos em que se lhes asilou a carne desfigurada. Mas, se o ato religioso é simples, partilhado por mentes e corações sinceros, inclinados à caridade evangélica e centralizados na luz da oração, com os melhores sentimentos que possuem, o culto se reveste de grande valor, pelas vibrações de paz e carinho que arremessa na direção daquele a quem é endereçado. Frequentemente, as missas humildes, realizadas aos primeiros cânticos da manhã, são as mais favoráveis ao nosso concurso. Podemos, com mais segurança, articular as possibilidades ao nosso alcance e ambientá-las em benefício daqueles que esperam de nós o amparo necessário.

Hilário pensou alguns instantes, valendo-se do intervalo que surgira na conversação e obtemperou:

— Possuímos nas igrejas a questão do patrocínio. Imaginemos que determinado templo foi erguido à memória de Gerardo Majela. Isso expressa uma obrigação para o grande místico europeu?

— Certamente não se trata de uma obrigação escravizante, mas de um serviço que lhe honra o nome e que merecerá dele certo reconhecimento mesclado de responsabilidade. Devemos reconhecer, contudo, que o trabalho do bem, qualquer que ele seja, permanece ligado a Jesus. No entanto, se algum servo do Senhor está ligado a obra por fazer, tanto quanto lhe seja possível desdobrar-se-á para enriquecê-la de bênçãos.

— Mas... e na hipótese de algum santuário surgir, dedicado a suposto herói da virtude? Figuremos alguém da Terra sendo conduzido ao altar por imposição da autoridade humana, sem mérito bastante à frente do Senhor... Os crentes encarnados atribuir-lhe-iam poder de que não conseguiria dispor... Em que situação estaria o templo que lhe fosse consagrado?

Mariana registrou a pergunta, cortesmente, e explicou:

— Numa contingência dessas, mensageiros de Jesus responsabilizar-se-iam pela instituição, distribuindo aí os benefícios adequados aos merecimentos e necessidades de cada um.

— E o tipo de assistência? É de renovação espiritual ou a de mero socorro aos crentes encarnados?

— Ah! — comentou Mariana, sincera — o trabalho é complexo e divide-se em múltiplos setores. Não está limitado à esfera da experiência física. Inumeráveis são as almas que, desligadas do corpo, recorrem aos altares, implorando esclarecimento... Outras, depois da morte, confiam-se a desequilibradas emoções, invocando a proteção dos Espíritos santificados... É preciso corrigir aqui e ajudar além... Agora, devemos injetar um pensamento reconstrutivo nessa ou naquela mente extraviada, depois, é imprescindível harmonizar circunstâncias em favor desse ou daquele necessitado... A maioria das pessoas aceita a Religião, mas não se preocupa em praticá-la. Daí nasce o terrível aumento das aflições e dos enigmas.

A lógica de Mariana encantava-nos.

Hilário, porém, prosseguiu indagando, perscrutador.

— Mas, apesar de consciente da verdade que a separação do veículo físico nos impõe, acredita a irmã que a organização católica é suficiente para conduzir o mundo moderno?

Ela sorriu com tristeza e redarguiu:

— Meu amigo, entre cooperar e aprovar, há sensível diferença. A sociedade ajuda a criança sem infantilizar-se. As igrejas nascidas do Cristianismo caminham para grande renovação. O progresso assim exige. As ideias de Céu e Inferno e os excessos de natureza política, na hierarquia eclesiástica, estabeleceram grandes perturbações para a alma popular. Entretanto, cabe-nos considerar as religiões que envelhecem como frutos fortemente amadurecidos. A polpa alterada pelo tempo deve ser colocada à margem; contudo, as sementes são indispensáveis à produção do futuro. Auxiliemos as igrejas antigas, em vez de acusá-las. Todos somos filhos do Pai Celestial e onde houver o mínimo gérmen de Cristianismo aí surgirão recursos de recuperação do homem e da coletividade para o Cristo, Nosso Senhor.

A conversação era fascinante e as perguntas pareciam brilhar ainda nos olhos de Hilário, maravilhado, tanto quanto nós, ante as elucidações que recebia, mas a hora esgotara-se.

Um sinal de Clarêncio fez-nos sentir que havíamos alcançado o momento da volta.

12
Estudando sempre

1   Às despedidas, retomamos as excursionistas sob a nossa guarda e, em pouco tempo, achávamo-nos, de novo, no caminho terrestre.

Da faixa de luz solar, tornamos à imersão na sombra noturna, mas o espetáculo do céu não diminuíra em beleza, porque as primeiras cores da alvorada tingiam o distanciado horizonte.

Clarêncio restituiu a companheira de Antonina ao lar, depois de afetuoso adeus. E, sem maiores delongas, demandamos o ninho doméstico de nossa amiga.

Antonina mostrava-se calada, tristonha...

Dir-se-ia teimava em permanecer, para sempre, junto do pequenino que a precedera na longa viagem da morte. Todavia, penetrando o estreito santuário familiar, dirigiu-se apressadamente ao quarto, de coração novamente atraído para os outros filhinhos.

O ministro, paternal, fê-la deitar-se e aplicou-lhe recursos magnéticos sobre os centros corticais.

A mãezinha de Marcos demonstrou experimentar leve e doce vertigem...

Atendendo ao orientador, demoramo-nos em observação, notando que a Antonina de nossa maravilhosa viagem aderira ao corpo denso, qual se fora por ele sugada, à maneira de formosa mulher, de forma sutil e semilúcida, repentinamente engolida por bainha de sombra. Justapondo-se ao cérebro físico, perdera a acuidade mental com que se caracterizava junto de nós. Com a fisionomia calma e feliz, despertou no veículo pesado...

Antonina, contudo, não mais nos viu.

Era agora simplesmente a mulher humana, nas cobertas agasalhantes do leito, acomodada à escuridão do recinto.

Lembrava-se, sim, do passeio ao Lar da Bênção, mas por meio de impressões a se esfumarem, rápidas.

Só a imagem do filhinho, tema central do seu amor, lhe persistia clara e movimentada na memória...

Nossa presença e todas as demais particularidades do voo sublime lhe acudiam à lembrança por acessórios fantásticos a se lhe perderem nos obscuros escaninhos da imaginação.

Como quem seleciona preciosidades, a consolada mãezinha procurava ansiosa, nos arquivos da própria mente, todas as palavras que ouvira do filho abençoado, buscando retê-las no escrínio do coração. Por isso, das valiosas observações de Clarêncio, em poucos minutos não lhe restava na alma qualquer reminiscência.

Antonina movimentou-se, fez luz e ouvimo-la pensar, vibrante: "Ó! meu Deus, que alegria! Pude vê-lo perfeitamente! Quero guardar a recordação deste sonho divino!... Marcos, Marcos, que saudades, meu filho!...".

O ministro abeirou-se dela, acariciou-lhe a cabeça, como se a envolvesse em fluidos calmantes, e a simpática senhora restabeleceu a sombra no recinto.

.3   Abraçando a caçula que repousava ao seu lado, novamente dormiu.

— Nossa amiga não poderá guardar positivas recordações — informou Clarêncio com atenção.

— Mas por quê? — indagou Hilário, admirado.

— Raros Espíritos estão habilitados a viver na Terra, com as visões da Vida Eterna. A penumbra interior é o clima que lhes é necessário. A exata lembrança para ela redundaria em saudade mortal.

— Como isso é lamentável! — alegou o meu companheiro, penalizado.

O ministro, todavia, explicou paciente:

— Cada estágio na vida se caracteriza por finalidades especiais. O mel é saboroso néctar para a criança, mas não deve ser ministrado indiscriminadamente. Reclama dosagem para não vir a ser importuno laxativo. O contato com o reino espiritual, enquanto nos demoramos no envoltório terrestre, não pode ser dilatado em toda a extensão, para que nossa alma não afrouxe o interesse de lutar dignamente, até o fim do corpo. Antonina lembrar-se-á de nossa excursão, mas de modo vago, como quem traz no campo vivo da alma um belo quadro de esbatidos contornos. Recordar-se-á, porém, do filhinho mais vivamente, o bastante para sentir-se reconfortada e convicta de que Marcos a espera na vida maior. Semelhante certeza ser-lhe-á doce alimento ao coração.

O silêncio passou a dominar o recinto, mas Clarêncio quebrou-o, quase de imediato, convidando-nos a socorrer o velhinho que nos aguardava.

Dormitava o ancião numa velha cadeira.

— Será sono? — perguntou Hilário, mais novo que eu na vida do Além.

— Sim — confirmou o instrutor, benevolente —, na fase em que se encontra, Leonardo subordina-se a todos os fenômenos da existência vulgar. Não prescinde, assim, do repouso para refazer-se.

Examinamo-lo mais detidamente.

Sem dúvida, o ancião trazia um veículo semelhante ao nosso, segundo os princípios organogênicos que presidem à constituição do corpo espiritual; contudo, mostrava-se tão pesado e tão denso como se ainda envergasse a túnica de carne.

Deixei a Hilário os pruridos de curiosidade que, em outro tempo, me assaltavam de inopino.

Após lhe observar o aspecto desagradável, meu colega inquiriu sobre as razões de tal obscurecimento.

O ministro não se fez rogado e explicou:

— O *psicossoma*[7] ou o perispírito da definição espírita não é idêntico de maneira absoluta em todos nós, assim como, na realidade, não existem dois corpos físicos totalmente iguais. Cada criatura vive num carro celular diferente, apesar das peças semelhantes, impostas pela lei das formas. No círculo de matéria densa, sofre a alma encarnada os efeitos da herança recolhida dos pais; entretanto, na essência, a Lei da Herança funciona invariavelmente do indivíduo para ele mesmo. Detemos tão somente o que seja exclusivamente nosso ou aquilo que buscamos. Renascemos na Terra, junto daqueles que se afinam com o nosso modo de ser. O dipsômano[8] não adquire o hábito desregrado dos pais, mas sim, quase sempre, ele mesmo já se confiava ao vício do álcool, antes de renascer. E há beberrões desencarnados que se aderem àqueles que se fazem instrumentos deles próprios.

E, imprimindo grave entono à voz, ponderou:

— A hereditariedade é dirigida por princípios de natureza espiritual. Se os filhos encontram os pais de que precisam, os pais recebem da vida os filhos que procuram.

Lembrei-me repentinamente de alguns dos grandes gênios da Humanidade que produziram filhos monstruosos ou

---

[7] N.E.: Do grego: *psykhé*, alma, espírito, e *soma*, corpo.

[8] N.E.: Pessoa que tem necessidade incontrolável de ingerir bebida alcoólica.

medíocres. Mas, vindo ao encontro do meu pensamento, o orientador observou:

— No campo das grandes virtudes, os pais usam, por vezes, a compaixão reedificante, empenhando-se em tarefas de sacrifício. Temos no mundo mulheres e homens admiráveis que, consolidando qualidades superiores na própria alma, se dispõem a buscar afetos que permanecem a distância, no passado, em tentativas heroicas de auxílio e reajustamento.

E, sorrindo, acrescentou:

— Na família consanguínea ou na família humana, obtemos o que buscamos. Quem já acertou as próprias contas com a justiça pode confiar-se aos sublimes rasgos do amor.

Em seguida, Clarêncio deteve-se na contemplação do velhinho que repousava e continuou comentando, mais particularmente com Hilário:

— Conforme a vida de nossa mente, assim vive nosso corpo espiritual. Nosso amigo entregou-se, demasiado, às criações interiores do tédio, ódio, desencanto, aflição e condensou semelhantes forças em si mesmo, coagulando-as, desse modo, no veículo que lhe serve às manifestações. Daí, esse aspecto escuro e pastoso que apresenta. Nossas obras ficam conosco. Somos herdeiros de nós mesmos.

— Mas... e se nosso irmão trabalhasse? Se depois da morte procurasse conjugar o verbo servir? — inquiriu meu colega, preocupado.

— Ah! Indiscutivelmente o trabalho renova qualquer posição mental. Gerando novos motivos de elevação e novos fatores de auxílio, o serviço estabelece caminhos outros que realmente funcionam como recursos de libertação. Por isso mesmo, o constante apelo do Senhor à ação e à fraternidade se estende, junto de nós, diariamente, por mil modos... Todavia, quando não nos devotamos ao trabalho, enquanto nos demoramos na vestimenta terrestre, mais difícil se faz para nós a superação dos obstáculos mentais, porque a indolência trazida do mundo é tóxico cristalizante de nossas ideias, fixando-as, por vezes, durante tempo indefinível. Se pretendemos possuir um *psicossoma* sutilizado, capaz de reter a luz dos nossos melhores ideais, é imprescindível descondensá-lo, pela sublimação incessante de nossa mente, que precisará, então, centralizar-se no esforço infatigável do bem. É para esse fim que o Pai Celestial nos concede a dor e a luta, a provação e o sofrimento, únicos elementos reparadores, suscetíveis de produzir em nós o reajuste necessário, quando nos pomos em desacordo com a Lei.

Lá fora, porém, as aves matutinas anunciavam o novo dia...
A tênue claridade da manhã penetrava o recinto.

Clarêncio lembrou que para socorrer o ancião ensandecido não dispensaríamos algum trabalho de análise da mente, e, porque semelhante serviço demandaria talvez a cooperação de companheiros encarnados, que não deviam ser incomodados na paisagem diurna, o ministro convocou-nos à retirada.

O prosseguimento da tarefa assistencial, desse modo, foi marcado para a noite seguinte.

13
Análise mental

1   O relógio terrestre assinalava meia-noite e três quartos, quando tornamos ao singelo domicílio de Antonina.

A casinha dormia calma.

Acocorado a um canto, o velho Leonardo mantinha-se na sala, pensando... pensando...

Adensamo-nos, ante a visão dele, e, reconhecendo-nos, ergueu-se e começou a gritar:

— Ajudai-me, por amor de Deus! Estou preso! preso!...

Clarêncio, bondoso, convidou-o a acomodar-se na poltrona simples e induziu-o à prece.

O velhinho, contudo, alegou total esquecimento das orações que formulara no mundo, crendo que apenas lhe serviriam as palavras decoradas, mas o orientador, elevando a voz, com o intuito evidente de sossegá-lo na confiança íntima, pronunciou comovente súplica à Divina Providência, implorando-lhe proteção e segurança para quem se mostrava tão desarvorado e tão infeliz.

Emocionados com aquela petição que nos renovava igualmente as disposições interiores, observamos que o avô de Antonina se aquietara, resignado.

Clarêncio, logo após a oração, começou a aplicar-lhe forças magnéticas no campo cerebral.

O paciente revelou-se mais intensamente abatido.

A cabeça pendeu-lhe sobre o peito, desgovernada e sonolenta.

Fitando-nos de modo significativo, o ministro ponderou:

— A corrente de força devidamente dinamizada no passe magnético arrancá-lo-á da sombra anestesiante da amnésia. Poderemos, então, sondar-lhe o íntimo com mais segurança. Assistido por nossos recursos, a memória dele regredirá no tempo, informando-nos quanto à causa que o retém junto da neta, aclarando-nos, ainda, sobre prováveis ligações que nos conduzirão à chave do socorro, em benefício dele mesmo.

— Mas o retrocesso das recordações poderá verificar-se de improviso? — indagou Hilário, perplexo.

— Sem dúvida — respondeu o instrutor —, a memória pode ser comparada a placa sensível que, ao influxo da luz, guarda para sempre as imagens recolhidas pelo espírito, no curso de seus inumeráveis aprendizados, dentro da vida. Cada existência de nossa alma, em determinada expressão da forma, é uma adição de experiência, conservada em prodigioso arquivo de imagens que, superpondo-se umas às outras, jamais se confundem. Em obras de assistência qual a que desejamos movimentar, é preciso recorrer aos arquivos mentais, de modo a produzir certos tipos de vibração, não só para atrair a presença de companheiros ligados ao irmão sofredor que nos propomos socorrer, como também para descerrar os escaninhos da mente, nas fibras recônditas em que ela detém as suas aflições e feridas invisíveis.

— Quer dizer então que...

A frase de Hilário, porém, se lhe apagou nos lábios, porque o ministro atalhou, completando-lhe a conceituação:

— A mente, tanto quanto o corpo físico, pode e deve sofrer intervenções para reequilibrar-se. Mais tarde, a ciência humana evolverá em *cirurgia psíquica*, tanto quanto hoje vai avançando em técnica operatória, com vistas às necessidades do veículo de matéria carnal. No grande futuro, o médico terrestre desentranhará um *labirinto mental*, com a mesma facilidade com que atualmente extrai um apêndice condenado.

Hilário arregalou os olhos, espantado, feliz. E exclamou, em voz quase gritante:

— Ah! Freud,[9] como viste a verdade!... Como detinhas a razão!...

O orientador fixou-o paternalmente e aduziu:

— Freud vislumbrou a verdade, mas toda verdade sem amor é como luz estéril e fria. Não bastará conhecer e interpretar. É indispensável sublimar e servir. O grande cientista observou aspectos de nossa luta espiritual na senda evolutiva e catalogou os problemas da alma, ainda encarcerada nas teias da vida inferior. Assinalou a presença das chagas dolorosas do ser humano, mas não lhes estendeu eficiente bálsamo curativo. Fez muito, mas não o bastante. O médico do porvir, para sanar as desarmonias do espírito, precisará mobilizar o remédio salutar da compreensão e do amor, retirando-o do próprio coração. Sem mão que ajude, a palavra erudita morre no ar.

O ministro, contudo, calou-se, dando-nos a entender que o momento não comportava digressões filosóficas.

Acariciou, ainda por alguns instantes, a cabeça do ancião e, em seguida, chamou-o, de manso:

---
[9] N.E.: Sigmund Freud (1856–1939), neurologista e psiquiatra austríaco. Criador da Psicanálise.

— Leonardo, recorda! Volta ao Paraguai, onde adquiriste o remorso que hoje te retalha o coração! A dor, quase sempre, é culpa sepultada dentro de nós... Retrocedamos ao ponto inicial de teu sofrimento!... Recorda! Recorda!...

O velhinho, diante de nosso intraduzível assombro, acordou de olhos transtornados.

Ergueu a fronte, mas seu rosto alterara-se de maneira sensível.

Sustentava, iniludivelmente, os traços fundamentais, mas fizera-se mais jovem.

Registrando a surpreendente transfiguração, Hilário interferiu, perguntando:

— Oh! Que força mágica será esta?

Nosso orientador fitou-o sereno e esclareceu:

— Não nos esqueçamos de que temos diante de nós o veículo espiritual, por excelência vibrátil. O corpo da alma modifica-se profundamente, segundo o tipo de emoção que lhe flui do âmago. Isso, aliás, não é novidade. Na própria Terra, a máscara física altera-se na alegria ou no sofrimento, na simpatia ou na aversão. Em nosso plano, semelhantes transformações são mais rápidas e exteriorizam aspectos íntimos do ser, com facilidade e segurança, porque as moléculas do perispírito giram em mais alto padrão vibratório, com movimentos mais intensivos que as moléculas do corpo carnal. A consciência, por fulcro anímico, expressa-se, desse modo, na matéria sutil com poderes plásticos mais avançados.

Clarêncio relanceou o olhar pelo recinto e acrescentou:

— Entretanto, não nos descuidemos do serviço a fazer.

Nesse ínterim, Leonardo soerguera-se.

Parecia animado de estranha energia.

O corpo, não obstante continuar obscuro e pastoso, revelava-se desempenado.

Repentinamente refeito, vigoroso e móbil, clamou:

— Lola! Lola! Estás aqui? Sinto-te a presença... Onde te ocultas? Ouve-me! Ouve-me!

Com inexprimível espanto, vimos dona Antonina escapar do aposento, no corpo espiritual com que a divisáramos na véspera.

Avançou ao nosso encontro, extremamente surpreendida, e, avistando o avô transfigurado, como se fosse tangida no imo da personalidade por misteriosa influência, estampou súbita alteração facial, renovando-se igualmente aos nossos olhos.

As linhas do semblante modificaram-se, de inopino, e vimo-la realmente mais bela; todavia, menos serena e menos espiritualizada.

Favorecendo-nos o máximo proveito nas observações, o ministro falou em voz baixa:

— Nossa irmã exige tão somente leve auxílio magnético para lembrar-se. Basta-lhe a emotividade anormal do reencontro para cair na posição vibratória do passado, uma vez que ainda não se encontra quitada com a Lei.

Aterrada, Antonina rojou-se de joelhos aos pés do ancião que se rejuvenescera ao influxo dos passes de Clarêncio e gritou:

— Leonardo!... Leonardo!...

Ele, porém, irradiando no olhar ódio e padecimento intraduzíveis, bradou:

— Enfim!... Enfim!...

E prorrompeu em pranto convulso.

Estupefatos, ouvimos Clarêncio que nos informava generoso:

— Repararam? Antonina é Lola Ibarruri reencarnada. Leonardo está vinculado a ela por laços de imenso amor. Ambos procedem de lutas enormes, na teia infinita do tempo. A mulher irresponsável de ontem, hoje é mãe amorosa e digna, à procura da própria regeneração. Tendo abandonado outrora o marido, foi induzida a desposar um homem animalizado, com quem se encontra igualmente enleada por laços do pretérito e que, não a entendendo agora, relegou-a ao esquecimento. Recebeu, contudo, antigos associados de destino por filhos do coração, que conduz para o bem. Em contraposição às facilidades delituosas do passado, atravessa atualmente aflitivos obstáculos para viver.

Simpatia incoercível inclinou-nos para aquela mulher em provas tão ríspidas.

O ensinamento que a vida ali nos ofertava era efetivamente sublime.

A voz do orientador, no entanto, era clara e segura a recomendar:

— Ajudemos. O momento determina auxiliar.

14
Entendimento

1   Antonina, modificada, esfregava os olhos como quem não desejava acreditar no que via, mas, resignando-se à evidência, continuou:

— Compadece-te de mim! Compadece-te!...

— Lola, donde vens? — perguntou o infeliz.

— Não me induzas a lembrar!...

— Não lembrar? Que condenado no tormento da expiação será capaz de esquecer? A culpa é um fogo a consumir-nos por dentro...

— Não me reconduzas ao passado!...

— Para mim é como se o tempo fosse o mesmo. O inferno não tem horas diferentes... A dor paralisa a vida dentro de nós...

— É preciso olvidar...

— Nunca! O remorso é um monstro invisível que alimenta as labaredas da culpa... A consciência não dorme...

— Não me rebentes o coração!

— E acaso o meu não vive estraçalhado?

O diálogo prosseguia comovente e Antonina, genuflexa, explodindo em angustiosa crise de lágrimas, implorou com mais força:

— Não golpeies minhas feridas mal cicatrizadas! Não se rouba ao devedor o ensejo de pagar!

— Entretanto, por ti — gemeu o interlocutor —, enredei-me no crime... Amei-te e perdi-me. Trazias nos olhos a traição disfarçada... Ó, Lola, por quê? Por quê?...

E, ante o doloroso acento com que essas palavras eram pronunciadas, a pobre mulher suplicou, mais triste:

— Leonardo, perdoa-me!... Sofri muito... Enlouqueceste, é verdade! Mas a perturbação que me atacou era mais lastimável, mais amargosa!... Sabes o que seja o caminho da mulher aviltada, entre o arrependimento e a aflição? Meditaste, algum dia, no martírio do coração feminino, relegado à penúria e ao abandono? Refletiste, alguma vez, na desilusão e na fome da meretriz desprezada e doente? Acaso poderás perceber o que seja a flagelação de quem espera a morte, sob o sarcasmo de todos, entre a sede e o suor? Tudo isso conheci!...

— Matei, porém, por tua causa... — tartamudeou o mísero, infundindo compaixão.

— Naquele tempo — alegou a infortunada —, fiz pior. Exterminei minha alma... Esposa, troquei o altar doméstico pelo mentiroso tablado do gozo fácil; mãe, envileci o mandato que Deus me concedera, crestando todas as flores de minha felicidade!...

— Pudeste, no entanto, realizar o reerguimento que ainda não consegui... Foste, em suma, feliz!...

— Feliz? — bradou Antonina, semidesesperada. — Acusas-me de infiel, quando, como tantos outros, te cansaste de mim, procurando outras novidades e outros rumos!... Vi-me sozinha, enferma, aniquilada... Debalde busquei afogar no vinho do prazer a horrível impressão do abismo em que me precipitara, porque, quando o desencanto e a enfermidade me relegaram à margem da vida, acordou-se-me a consciência, inculpando-me, desapiedada... A morte recolheu-me na vala da miséria, como um carro de higiene pública reclama o lixo da sarjeta... Estarás habilitado a compreender-me o sofrimento em toda a extensão?!... Por muitos anos, vagueei aflita, como ave sem ninho, refugiada no espinheiro de dor que cultivara em mim mesma... Esmolei proteção, junto daqueles que me haviam sido afetos estimulantes da juventude... Ninguém se recordava de mim... Não me cabia recolher uma gratidão que eu não semeara... Até que um dia...

3   Antonina passou a destra pela fronte pálida, como se evocasse velhas recordações fortemente trancadas na memória. Seu olhar adquirira a assustadiça expressão dos enfermos que a febre torna dementados.

Findos alguns instantes, exibiu no rosto a surpresa de quem se banha num relâmpago de luz.

Parecendo haver encontrado a imagem que ansiosamente procurara, continuou:

— ...até que um dia, senti que me chamavas com pensamentos de carinho e de paz... Rememoravas alguns traços elogiáveis de nossa vida, recompondo na lembrança as festas que organizávamos em favor dos combatentes mutilados... As tuas divagações, arrancando ao pretérito as raras reminiscências felizes que poderíamos identificar, caíram sobre mim como bálsamo refrigerante... Chorei aliviada e adormeci em tua casa, no aconchego da família que tiveste a ventura de constituir...

Interrompeu-se Antonina, figurando-se-nos incapaz de prosseguir recordando. Via-se que esbarrara com insuperáveis impedimentos íntimos.

Emudecera, torturada pela incapacidade mnemônica que a assaltara de improviso; contudo, o nosso orientador acercou-se dela e afagou-lhe a cabeça, deixando perceber que a auxiliava magneticamente na recuperação das próprias forças.

— Não posso saber — gritava Leonardo —, não posso saber! Desde que meu espírito foi ocupado por "ele", não consigo coordenar as ideias que me são próprias... Sim, certamente sou culpado... Tens razão... Podias ter recebido meu concurso... Não me cabia pensar em ti como se fosses tão somente mulher...

Mais calma, a pobre interlocutora suplicou triste:

— Agora que te capacitas de minhas dificuldades, perdoa-me!... Não me move outro desejo senão o de renovar-me! Sofri muito, aprendi duramente!... Peço a proteção da Divina Bondade para todos aqueles que me não compreenderam e procuro sinceramente olvidar as ofensas que outros me assacaram, como desejo sejam esquecidas as ofensas que pratiquei contra os outros!... Não me reconduzas, pois, ao passado!... Compadece-te de mim!...

Reparávamos, com assombro, que Leonardo e Antonina, sob o controle paternal de Clarêncio, se mantinham detidos na posição vibratória em que haviam subitamente caído.

Por que não se recordavam os dois do parentesco que os reunia?

Nosso instrutor, assinalando-nos a indagação, socorreu-nos, esclarecendo:

— Encontram-se ambos imobilizados em certo momento do pretérito, num encontro provocado por influência magnética. Em tais recursos utilizados por nosso plano, no tratamento salutar das moléstias da alma, determinados centros da memória se reavivam, ao passo que outros empalidecem. As sensações do presente dão lugar às sensações do passado, para efeito de reajustamento perante o futuro. O fenômeno, porém, é momentâneo. A breves minutos, regressarão à consciência normal, melhorados para a boa luta.

A explicação não podia ser mais satisfatória, nem mais simples.

O ministro continuava prestando assistência à nossa amiga, qual se Antonina não devesse avançar na faixa de lembranças.

Aceitando-lhe os apelos, Leonardo como que arrefecera o ímpeto inicial de desesperação.

Fitava-a, agora, quase que piedosamente, mas, longe de albergar qualquer sentimento positivo de ordem superior, arrancou do próprio íntimo nova onda de cólera, que lhe tingiu a máscara fisionômica.

Cerrando os punhos, bradou desvairado:

— Sim, sim, entendo-te... Foste suficientemente infeliz... Mas por que trago comigo o fantasma "dele"? Ter-se-á convertido num demônio intangível para arrasar-me a existência? Estaremos no Inferno, sem saber, agarrados um ao outro? Viverei dentro dele, quanto ele vive dentro de mim? Por que me não permite o verdadeiro repouso? Se procuro dormir, desperta-me, cruel; se tento olvidar, agiganta-se-me no pensamento!...

Desequilibrado, Pires ergueu para o teto os punhos retesos, ensaiou alguns passos no recinto estreito e passou a clamar:

— Esteves, homem ou diabo, onde estiveres, em mim ou fora de mim, corporifica-te e vem!... Estou pronto! Acertemos a diferença!... Vítima ou carrasco, aparece! Que meu pensamento te encontre e te traga!... Que as forças do nosso destino nos reúnam, enfim, corpo a corpo!...

Alguns instantes decorreram, quando fomos surpreendidos pela entrada de nova personagem na sala.

Era um homem de seus 35 anos presumíveis, que se abeirava de nós, igualmente fora do vaso físico.

Passeou no recinto esgazeado olhar, dando-nos a impressão de que não nos percebia a presença e, ofegante e contrariado, qual se estivesse ingressando ali constrangidamente, deteve-se apenas na contemplação de Leonardo e Antonina, reconhecendo-os, estarrecido e agoniado.

Clarêncio, junto de nós, informou prestimoso:

— Sob a positiva invocação de Leonardo, Esteves, parcialmente libertado pelo sono, comparece ao desafio. O repouso noturno favorece tais entendimentos, pela atração magnética mais intensivamente facilitada, quando o envoltório de matéria densa exige recuperação.

Notamos que os três protagonistas da cena que se improvisara jaziam repentinamente hipnotizados por vibrações de assombro e desespero.

Leonardo, porém, dando um salto à retaguarda, bradou:

— Agora! Agora, sim!... Vieste mesmo! Vejo-te, fora de minha cabeça, vejo-te como és!... Liquidemos nossa conta... Risca-me dentre os vivos ou eu te riscarei!...

— Piedade! Piedade!... — suplicava Antonina, lacrimosa.

Pires, no entanto, parecia não ouvi-la, sob o olhar de Esteves que o observava, com visível repugnância.

Semiapavorado e pondo-se em guarda, sacudido pelas próprias reminiscências, o recém-chegado respondeu agressivo:

— Conheço-te e odeio-te!... Assassino, assassino!...

Engalfinhar-se-iam, sem dúvida, como animais enfurecidos, mas o nosso orientador interferiu, de imediato, imobilizando-os prontamente.

Tocado pelo ministro, Esteves enxergou-nos e, surpreendido, aquietou-se.

Clarêncio confiou-o à nossa vigilância e, dirigindo-se a Leonardo, em voz segura, concitou:

— Meu amigo, extirpa da mente a ideia do crime. Achas-te cansado, enfermo. Receberás a medicação de que necessitas.

Num átimo, ausentou-se e regressou trazendo ao recinto dois amigos de nosso plano, os quais transportaram Leonardo, semi-inconsciente, para um santuário de reajuste, em que mais tarde nos receberia a assistência.

Em seguida, nosso instrutor acomodou Esteves na poltrona singela, recomendando-lhe esperar-nos.

O novo companheiro, amedrontado, obedeceu automaticamente.

Logo após, amparando Antonina, procuramos restituí-la ao quarto particular.

Consideramos, então, que se grande fora a ventura da pobre senhora na véspera, naquela noite assemelhava-se, desditosa, a um trapo de sofrimento.

Encontramos grande dificuldade para recompô-la em espírito e para religá-la à vestimenta carnal, quase inerte.

Revelava-se imensamente confrangida.

Por mais de duas horas mereceu-nos especial atenção. Somente depois de considerável esforço de Clarêncio, conseguiu refazer-se. Vimo-la acordar, exausta e entontecida.

Algo aliviada, Antonina acreditou-se liberta de estranho pesadelo. Ainda assim, sem saber explicar a razão, torturada e apreensiva, continuava soluçando...

15
Além do sonho

1   Tornando a Esteves, Clarêncio ofereceu-lhe o braço amigo, mas o moço prorrompeu em súplica:
— Não me prendam! Não me prendam! Sou a vítima!...
O ministro absteve-se de continuar em sua afetiva manifestação.

No passo vagaroso de quem carrega um fardo de aflição, o inimigo de Leonardo retirou-se para a via pública, regressando ao aconchego doméstico.

Seguimo-lo a pequena distância.

Renovava-se o dia.

Pedestres marchavam diligentes, na direção do trabalho.

Bondes rangiam sonolentos, e os autos, aqui e ali, começavam a transitar pelas ruas.

Em breve tempo, o rapaz, seguido de nosso grupo, estacionou à frente de vasto conjunto residencial.

Grande relógio próximo exibia o mostrador.

Cinco horas e trinta minutos.

Embatucado, o moço voltou-se para nós e, em seguida, desapareceu no interior.

Entramos.

Em momentos rápidos, achávamo-nos diante dele, que se esforçava por reaver o corpo físico.

O ministro, sem molestá-lo, amparou-o afetuosamente, e Esteves, pouco a pouco, recuperou a calma natural.

Mantinha-se em suave modorra, quando o despertador tilintou, faltando quinze minutos para seis.

O rapaz esfregou os olhos, de carantonha amarrada, guardando a impressão de mau sonho.

Vestindo-se apressado, notamos que minúsculo cartão de visita lhe caiu do bolso, ensejando-nos a leitura de um nome: "Mário Silva, Enfermeiro".

E o nosso instrutor reafirmou:

— Nosso amigo, ontem Esteves, hoje é Mário Silva, prosseguindo em sua vocação para a enfermagem. Ouçamo-lo por alguns momentos.

O moço atendeu às obrigações da higiene e, logo após, foi recebido em pequena sala do apartamento por simpática velhinha, em cujo olhar adivinhamos a ternura de mãe.

Depois de saudação carinhosa, a senhora indagou bem-humorada:

— Onde esteve esta noite, meu filho? Seu semblante carregado não me engana.

— Um sonho horrível, mamãe.

E, fixando gestos expressivos, entre os goles do café notificou:

— Sonhei que alguém me chamava, a distância, em voz alta, e, acreditando tratar-se de algum doente em estado grave, não vacilei. Corri ao apelo, mas, em vez de topar um quarto de enfermo, vi-me, de imediato, numa cela mal iluminada e úmida...

E, com os recursos de imaginação de que dispunha para corresponder às requisições da mente, o rapaz continuou:

— Era um perfeito cubículo de prisão, onde me surpreendi encarcerado, de repente, junto de um criminoso de mau aspecto e de infortunada mulher em pranto... Senti tanta simpatia pela moça desventurada, quanta aversão pelo réu de medonha catadura. Tive, porém, a impressão nítida de que nos conhecíamos. Um misto de ódio e sofrimento me tomou de assalto, junto deles, principalmente ao lado do infeliz, cujo olhar se me afigurava cruel... Perguntava, a mim mesmo, por que me não retirava de tão detestável presença, mas, enquanto o homem me repelia, a mulher me provocava o maior enternecimento... Por mais estranho que pareça, experimentava o desejo de agredi-lo e de acariciá-la, ao mesmo tempo. Achava-me em expectativa, quando o criminoso avançou para mim com o propósito evidente de liquidar-me, ao passo que a pobrezinha procurava defender-me. Estava atônito, ignorando se o condenado pretendia assassinar-me ali mesmo, quando tentei uma reação à altura! Cego de incompreensível rancor, ia precipitar-me sobre ele quando, rápido, apareceu um delegado policial, seguido de dois guardas, que entraram na contenda, impedindo-nos o mau impulso. O chefe, segundo percebi, de um só golpe conteve o meu agressor, obrigando-o a sentar-se, vencido, conquistando-me um respeito tão grande que, realmente, apesar do desejo de ouvir a mulher ajoelhada, em soluços, não arredei pé do lugar em que me apoiava. Depois de palavras enérgicas e rápidas, o delegado trouxe, então, à cela outros ajudantes que arrastaram meu adversário para fora... Logo após, acomodando-me numa velha cadeira, reconduziu a jovem para o interior do cárcere...

Estampou na fisionomia a expressão de quem se propunha inutilmente lembrar-se e, decorridos longos instantes de reticência, rematou:

— Depois... depois, não consigo precisar as recordações... Sei apenas que me pus a correr, em fuga para nossa casa, uma vez que os policiais se mostravam igualmente dispostos a recolher-me. Temendo o xadrez, acordei estremunhado e abatido...

A velhinha, que escutava atenciosa, comentou calma:

— Há sonhos que valem por terríveis pesadelos...

— É o que senti — concordou Mário, preocupado.

A mãezinha contemplou-o bondosa e acrescentou:

— Meu filho, o sonho terá alguma relação com a nossa Zulmira? A mulher com quem simpatizou não seria, acaso, nossa velha amiga, e o homem que lhe inspirou tanta repugnância não poderia ser interpretado como o esposo dela?

O rapaz cobriu-se de leve palidez, mostrou-se mais taciturno e falou triste:

— Quem sabe?

— Você nunca mais teve notícia de nossa antiga companheira?

— Não. Tenho apenas a informação de que mora aqui mesmo, onde o marido é ferroviário de importância.

— Nunca pude entender-lhe a atitude. Tantos anos de convivência, tantos projetos de felicidade!... Trocar tudo, assim, por um viúvo, acompanhado de dois filhos!...

O moço fixou um gesto de amargura e observou:

— Ora, mamãe, evitemos recordações sem proveito. Zulmira não deve reaparecer em minha memória e esse Amaro que ela desposou é um ponto negro em meu coração. Creio que o melhor sentimento para eles dois em minha vida íntima é o ódio com que os reúno em minha lembrança. Não desejo revê-los e, francamente, se eu soubesse que residiam aqui, em nossa vizinhança, decidiria nossa transferência para outro rumo...

E, transcorridos alguns instantes, ajuntou:

— Meu sonho foi um simples pesadelo. Alguma preocupação imprecisa ou alguma intoxicação alimentar...

A senhora sorriu desapontada e aduziu:

— Cá por mim, estou certa de que, à noite, reencontramos as pessoas que amamos ou detestamos. Nosso Espírito, no sono, procura os afetos ou os desafetos do caminho para acertar as próprias contas. Disso, não tenho qualquer dúvida.

O filho, indiscutivelmente enfadado, reergueu-se, abraçou a genitora, osculou-lhe a cabeça branca e concluiu:

— O relógio é inflexível. O sonho passou e, agora, é a realidade que me espera. Devo cooperar no serviço operatório de duas crianças, às oito em ponto. Não me posso demorar. O hospital não cogita de pesadelos.

Mostrou um sorriso forçado e despediu-se.

A mãezinha acompanhou-o carinhosamente até a porta, retomando os serviços caseiros, pensativa...

Preparando-nos para a retirada, trazia o meu cérebro castigado por obsidiantes interrogações.

Encontráramos um novo capítulo na história da oração de Evelina?

Amaro e Zulmira, mencionados pelo enfermeiro, seriam as mesmas personagens que havíamos visitado anteriormente?

Dispunha-me à inquirição, quando o olhar de Clarêncio cruzou com o meu. Registrando-me a estranheza, informou:

— Já sei o teor de tuas interrogações. Realmente, o nosso novo amigo foi noivo de Zulmira, a senhora obsidiada que conhecemos. Pretendia desposá-la, mas foi preterido no coração dela por Amaro, que lhe deve assistência e carinho. O passado fala no presente. Acham-se enredados numa teia de compromissos que lhes reclamam resgate.

— E reencontrar-se-ão para o desdobramento das lutas redentoras em que se envolvem? — perguntou Hilário, admirado.

— Inevitavelmente — acentuou o instrutor com voz segura.

A dona da casa, mãe devotada e sensível, meditando no sonho do filho, embora movimentasse automaticamente a vassoura, orava por ele, rogando a Jesus o abençoasse.

Anotávamos-lhe as reflexões na mente preocupada. Sabia quanto custara ao moço renunciar à mulher escolhida. Conhecia-lhe o temperamento enigmático e receava tornar a vê-lo atormentado e vencido...

O pensamento em prece escapava-lhe da cabeça, como tênue esguicho de luz.

Clarêncio abeirou-se dela e transmitiu-lhe forças calmantes, que lhe sossegaram o coração.

Em seguida, o orientador no-la apresentou, generoso:

— Nossa irmã Minervina é velha conhecida. Recebeu nos braços meia dúzia de filhos que tem sabido conduzir admiravelmente. Coração abnegado, alma rica de fé.

Abraçamo-la carinhosamente, às despedidas.

De regresso, reparando que estávamos desejosos de seguir Mário Silva para obter mais informes, no desenvolvimento de nossa história que começava a ser fascinante, o ministro recomendou:

— Não convém incomodar nossos amigos no curso das obrigações diuturnas, provocando elucidações que seriam desagradáveis e fora de ocasião. Aguardemos a noite, porque, enquanto o corpo físico se refaz, a alma invariavelmente procura o lugar ou o objeto a que imanta o coração.

Ouvimos o orientador e aquietamo-nos.

Cabia-nos aguardar a noite, quando se estenderiam as nossas experiências.

16
Novas experiências

1   Noite fechada e alta, tornamos ao domicílio do enfermeiro, seguidos de Clarêncio, que funcionava, como sempre, junto de nós, por mentor diligente e amigo.

Mário Silva, estirado nos lençóis, debalde procurava dormir. O sonho da véspera castigava-lhe o pensamento.

Ruminando as impressões da manhã, refletia de si para consigo: "seria realmente Amaro, o rival, quem lhe surgira na forma de um criminoso? E aquela mulher chorosa e acabrunhada seria, porventura, Zulmira, a companheira de infância, que ainda lhe feria as recordações? Onde o motivo de semelhante reencontro? Teimava em afastar para longe as reminiscências da mocidade... por isso mesmo, não acreditava estivesse nele próprio a causa do estranho pesadelo... Permanecia convicto de que alguém o chamara, nitidamente, pronunciando palavras que o constrangiam a atender... Estaria Zulmira em apuros? E esta, acaso se recordaria dele? E se as suas conjeturas expressassem a verdade, teria o direito de reaproximar-se? Não imaginava isso possível... A chaga do brio retalhado ainda lhe sangrava no coração. Não seria justo acudi-la, nem mesmo a pretexto de socorrer. Conhecia-lhe o esposo de relance, mas o suficiente para detestá-lo, com todas as reservas de ódio de que se sentia capaz. Ainda mesmo que a mulher, outrora querida, lhe suplicasse assistência, cabia-lhe ser surdo aos seus rogos..."

Hipóteses inquietantes e perguntas sem resposta lhe assediavam o cérebro toldado de apreensão e rancor.

A antiga aversão pelo rival preponderava, dominando-o.

Por que não voltar ao sonho da noite anterior, de modo a tentar uma solução?

A figura de Amaro crescia-lhe no campo mental.

"Se as almas podiam efetivamente reencontrar-se fora do corpo" — prosseguia divagando —, "decerto conseguiria rever o adversário e revidar... Se fora invocado em sonho, era lícito invocar quem quisesse... Chamaria o renegado esposo de Zulmira a explicar-se. Concentraria nele o poder do pensamento. Buscá-lo-ia onde estivesse".

O ministro contemplava-o compadecido.

Valendo-se dos minutos para ensinar-nos algo proveitoso, observou:

— A paixão cega sempre. Nossa vida mental é a nossa vida verdadeira e, por isso, quando a paixão nos ocupa a fortaleza íntima, nada vemos e nada registramos senão a própria perturbação.

Em seguida, aplicou passes balsamizantes sobre o rapaz, que se virava, desajustado, no leito.

Mário, qual se houvera sorvido brando anestésico, relaxou os nervos e descansou o comboio físico, mas, ressurgindo em nosso plano, começou a extravasar os sentimentos que lhe senhoreavam o espírito.

Não nos assinalava a presença, continuando, porém, sob a nossa observação, em seus mínimos movimentos.

.3   Espantadiço e tateante, vagueou pelos ângulos do quarto no veículo perispirítico, extremamente condensado.

Todavia, pouco a pouco, esgazearam-se-lhe os olhos, dando-nos a ideia de quem se detinha em aflitivos quadros íntimos.

Anotando-nos o assombro silencioso, o instrutor socorreu-nos, explicando:

— Qual acontece ao nosso amigo Leonardo, o novo companheiro padece angustioso complexo de fixação. Embora tenha o seu caso particular algo suavizado pelas lutas da carne, que, por vezes, constituem abençoado entretenimento, não consegue diluir a obcecante recordação do inimigo. A mágoa é-lhe inquietante ferida mental. Enquanto se distrai nas tarefas comuns, alheia-se, de alguma sorte, ao tormento oculto que transporta consigo, mas, vendo-se espiritualmente a sós, dá curso ao ódio coagulado, desde muito, no coração. Observemo-lo!

Mário desceu para a rua, à maneira de louco, e, inalando o ar refrescante da noite, forneceu a impressão de quem se revigorava, de súbito, passando a gritar, com voz estridente:

— Amaro, ladrão! Amaro, usurpador! Aparece! Se tens dignidade, afronta-me a vingança!... Não tremerei!... Onde ocultaste a mulher que eu amo?! Responde, responde!...

Silva caminhava semiébrio, sem direção; contudo, arremessava as palavras no ar, com veemência e segurança.

Havíamos dobrado esquinas diversas e eis que, quando menos esperávamos, surge alguém ao encontro dele, em plena via pública.

Copiando o impulso do ferro atraído pelo ímã, o esposo de Zulmira, em seu corpo sutil, correspondia ao chamado estranho do inimigo, desligado parcialmente da carne.

Defrontaram-se, a princípio, altivamente; entretanto, logo após, com as maneiras do homem mais educado, Amaro esboçou delicado recuo, revelando-se preocupado em evitar conflitos e aborrecimentos.

O enfermeiro, porém, de ânimo revel, bradou desconcertante:

— Não te acovardes, bandido! Não fujas!... Temos contas a ajustar!...

O ferroviário, contudo, afastava-se rápido.

O adversário, no entanto, sem arrefecer no ímpeto, seguia-o inflexível, longe de renunciar ao escuro propósito de agressão.

Acompanhávamos ambos, quarteirão a quarteirão, até que esbarramos à entrada do abrigo doméstico que já conhecíamos, onde Amaro dispôs-se ao ajuste pacífico.

Demonstrando-se interessado em defender a tranquilidade familiar, o dono da casa estacou à porta, aguardando o provocador.

— Então — bradou Silva, exasperado —, é aqui o ninho das serpentes?

Levantando os punhos contra o rival humilde, prosseguiu rixento:

— Pagar-me-ás muito caro a intromissão! Infame enganador, onde puseste a mulher que era minha felicidade e minha vida? Quebraste-me os sonhos, aniquilaste-me os ideais!... Homem terrível, que fizeste de mim? Sou apenas máquina de trabalho, sem fé e sem esperança!...

— Eu não sabia, não sabia!... — alegou Amaro, desapontado. — Nunca tive a intenção de ofender-te!

— Maldito! Como sabes dissimular! Onde está Zulmira? Devo exterminar-te para restituir-lhe a independência?

E, afrontado pela serenidade do outro, o enfermeiro acentuou:

— Não me reconheces, acaso?

— Sim, reconheço-te — falou o interlocutor num suspiro —, és Mário Silva, pessoa a quem devoto consideração e respeito.

— Consideração e respeito? Que deslavado fingimento! Onde a prova de apreço, se me arrancaste a noiva, engodando-a com mentirosas promessas?

— Somente soube de tua velha afeição por ela quando meus compromissos no matrimônio não admitiam qualquer recuo. Se alguém, todavia, me houvesse comunicado lealmente quanto se desenrolava em torno de minha preferência, teria renunciado em teu favor. Desejaria realmente servir-te; entretanto, agora...

— Hipócrita! — tornou Mário, enfurecido. — Não creio em tua palavra de lobo disfarçado. Roubaste-me a única felicidade que eu esperava do mundo! A única felicidade que era minha!...

Amaro fixou triste sorriso e obtemperou:

— E acreditas que eu seja feliz? Admites no casamento apenas a exaltação dos sentidos inferiores? Crês que o homem consorciado deva encontrar na mulher simplesmente uma escrava? Amo em Zulmira a companheira e a irmã que me cabe proteger. Nem ela nem eu encontramos na experiência conjugal a ventura das afeições cor-de-rosa, em que o desejo contentado é como a flor que morre num dia... Temos padecido muito, Mário. Não ignoras que me casei em segundas núpcias. Zulmira, por isso mesmo, não terá recolhido em mim a perfeita alegria que lhe seria lícito esperar. Nossa aproximação começou por uma série de desajustes, que culminaram com a morte do meu caçula, num terrível desastre... Desde então, nossa casa é um espinheiro de sofrimento... Minha esposa adoeceu gravemente e eu mesmo, até agora, continuo agoniado e desfalecente... Saberias, porventura, o que seja a desdita de um pai que chora sem lágrimas, mortalmente ferido? Se dívidas possuo para com a Divina Providência, podes acreditar que não tenho amargado pouco, a fim de ressarci-las... A morte para mim não passaria de bênção libertadora.

Como podes observar, não me vejo em condições de aceitar-te o desafio! Estou dilacerado e, mais que dilacerado, vencido...

Com enternecedora inflexão de súplica, acentuou:

— Se ainda consagras amor à criatura que desposei, ajuda-nos com a tua compreensão!... Se te fiz algum mal inconscientemente, perdoa-me! Perdoa-me pelas angústias da minha existência de condenado a horríveis provas morais!...

Mário Silva, com espanto nosso, retribuiu com escandalosa gargalhada.

— Desculpar? Nunca! — exclamou jactancioso. — Pelo tom da conversa, concluo que a justiça começou a expressar-se devidamente, mas abreviá-la-ei com as minhas próprias mãos... Meu desforço é certo, meu ódio é inexorável!...

Amaro não mais respondeu.

Vimo-lo curvar a cabeça em oração fervorosa. Suaves irradiações de esmeraldina luz escapavam-lhe da fronte. As palavras inarticuladas de que se servia para implorar socorro alcançavam-nos o espírito, qual se fossem ondas caloríferas e harmoniosas de humildade e confiança.

Silva, incapaz de sensibilizar-se ante a rendição comovente, prosseguia gritando:

— Por que silencias, covarde? Fala, fala! Explica-te!... Reage! Dominaste Zulmira, mas não me dobrarás um milímetro!... Criminosos de tua laia não merecem compaixão!...

Nessa altura do diálogo, Clarêncio convocou-nos, paternal:

— Respondamos à prece de Amaro com o auxílio fraterno.

Arrastados pela simpatia e pela emoção, acompanhamos o nosso orientador, sem hesitar.

17
Recuando no tempo

1   Depois do nosso esforço de autocondensação, para o necessário ajuste vibratório, Clarêncio abeirou-se dos dois amigos, com o amoroso poder que lhe era característico e, reconhecendo-nos, Mário associou-nos a presença ao pesadelo da véspera e passou a clamar:

— Meu caso não é com a polícia!... Não precisamos de qualquer delegado aqui!...

— Acalma-te, amigo! — respondeu o ministro, atencioso. — Não somos quem julgas. Estamos aqui para que te lembres... É indispensável te recordes.

E, situando a destra na fronte do enfermeiro, reparamos que Mário Silva aquietava-se de repente:

O semblante dele acusou estranha metamorfose.

Afigurou-se-nos mais elegante, mais jovem.

Abriu desmesuradamente os olhos, depois de alguns momentos, e exclamou semiaterrado:

— Ah! agora!... Agora me lembro!... Meu agressor de ontem é Leonardo Pires... Como poderia esquecê-lo assim tão infantilmente? Como não rememorar? Disputávamos a mesma mulher... Achávamo-nos em Luque, quando conheci a cantora e bailarina admirável... Lola Ibarruri! Quem senão ela poderia oferecer-me o bálsamo do esquecimento?! Realmente fiz tudo para separá-los... Ele não era o tipo de homem capaz de fazê-la feliz! Lola trazia consigo a beleza, a juventude e a arte reunidas, e eu carregava no peito o esquife dos sonhos mortos... Deu-me o repouso de que minha alma necessitava... restaurou-me. Mas... que domingo terrível aquele da praça embandeirada, em Piraju!... Deslocavam-se as forças para a caça ao inimigo... Imaginava, porém, a melhor maneira de reencontrar a mulher querida e, naquela manhã de terrível memória, consegui a simpatia de Frei Fidélis, antes da missa... O caridoso capuchinho auxiliar-me-ia, advogando-me a causa... Lola não deveria movimentar-se; entretanto, poderia, por minha vez, tornar à retaguarda!... Os maiorais eram meus amigos!... Obteria, por isso, o favor do Príncipe!... Arquitetava meus planos, quando encontrei Leonardo... Não supunha conhecesse ele a deserção da companheira e procurei agradá-lo, aceitando-lhe a companhia... O suculento repasto exigia algum trago de vinho, e Pires não hesitou, ministrando-me o veneno que trazia às ocultas!... Ah, bandido! Bandido!...

Mário levou as mãos à garganta, como se aí registrasse enorme sofrimento e caiu, desamparado, gemendo de dor.

O ministro, paciente, aplicou-lhe recursos magnéticos balsamizantes e o rapaz levantou-se aturdido.

Amaro, que se mostrava igualmente transtornado, acompanhava a cena com manifesta aflição.

Clarêncio ajudou o enfermeiro a firmar-se de novo sobre os pés e perguntou, concitando-o a relembrar:

— Por que razão te afeiçoaste à cantora com tamanho desvario? Por que não atendeste aos avisos da consciência, que, decerto, te rogava não despertasses o ódio naquele que te aniquilaria o corpo físico?

Apresentando a expressão de um louco, Mário desferiu desconcertante gargalhada e bradou:

— Por que amei Lola Ibarruri? Por que não tive escrúpulos em arrebatá-la ao companheiro que a retinha nos braços?

Nosso instrutor afagava-lhe a cabeça com o evidente intuito de reavivar-lhe a memória.

— Ah! sim!... — prosseguiu Mário Silva, alarmado. — Ausentei-me de Assunção com o espírito irremediavelmente desiludido...

De olhar vagueante, como se surpreendesse o passado ao longe, nos recôncavos da noite, continuou:

— Nos arredores da formosa capital paraguaia, construíra minha casa e era feliz!... Lina era o tesouro de meu coração... Minha amiga e minha esposa, minha esperança e minha razão de ser... Descendente de uma das famílias de Mato Grosso, aprisionadas pelo inimigo na invasão de dezembro de 1864, encontrei-a sem parentes, asilada por respeitável família, que a adotara por filha estremecida!... Ah! quando lhe fitava os olhos claros e doces, sentia-me transportado a céus imensos... Era tudo o que a mocidade ideara de mais lindo para o meu coração... Nela encontrava a divina novidade de cada dia e, apesar das vicissitudes da guerra, mergulhávamo-nos ambos na rósea corrente dos mais belos sonhos... O próprio Marquês de Caxias conheceu-a e animou-nos a união... Foi assim que, em janeiro de 1869, quando a trégua nos atingira, um sacerdote consagrou-nos o casamento... O conselheiro Paranhos prometeu ajudar-nos, tão logo regressássemos ao Brasil, para que o nosso consórcio fosse devidamente festejado... Vivíamos tranquilos, como duas aves entrelaçadas no mesmo ninho, quando tive a desgraça de levar ao nosso templo doméstico dois companheiros de trabalho e de ideal... Armando e Júlio... Sim, seriam eles amigos ou abutres? Sei apenas que Lina e eles se fizeram íntimos em pouco tempo... Com a desculpa de aliviarem os sofrimentos da campanha, os dois passaram a gastar, em nosso pequeno santuário de ventura, todo o tempo que lhes era disponível. Descansava minha alma na confiança sincera, até que um dia...

O semblante do narrador alterou-se de súbito.

Esgares de amargura modificaram-lhe a feição.

Imprimindo à voz lúgubre acento, continuou, atormentado:

— Até que, um dia, encontrei Lina e Júlio abraçados um ao outro, como se o tálamo[10] lhes pertencesse.

Cravou em nós o olhar agora coruscante e terrível e acrescentou:

— Compreenderão, acaso, a dor do homem que se vê irremissivelmente atraiçoado pela mulher em que se apoia para viver? Entenderão o incêndio que lavra no espírito flagelado de quem, num minuto, vê destruídas as esperanças da vida inteira?... Tudo é treva para quem carrega consigo mesmo o carvão dos enganos mortos! Não quis acreditar no que via e interpelei a mulher amada... Lina, porém, atirou-me no rosto o mais frio desprezo... Afirmou, rudemente, que não podia amar-me senão como irmã que se compadece de um companheiro necessitado, que me desposara simplesmente para fugir às humilhações que experimentava numa terra estrangeira e que eu, efetivamente, deveria desaparecer... Envergonhado, invoquei a proteção de superiores amigos e fugi de Assunção... Eu era, contudo, um homem diferente... A segurança de caráter que cultivava brioso fora abalada nos alicerces... Viciei-me... Confiei-me ao álcool e ao jogo... Do militar responsável, desci à condição de aventureiro infeliz... Foi assim que encontrei Lola e Leonardo e não hesitei

---

[10] N.E.: Leito nupcial, conjugal.

em exterminar-lhes a felicidade... É muito difícil albergar respeito aos outros quando fomos pelos outros desrespeitado.

Valendo-se da pausa que se evidenciava, espontânea, Clarêncio indagou:

— E nunca recebeste notícias da esposa?

Mário Silva, reconduzido à personalidade de Esteves pela influência magnética, exibiu sarcástico sorriso e informou:

— Lina, que passei a odiar, era demasiado cruel. Achava-me não longe de Assunção, depois de três meses sobre a mágoa terrível que me fora assacada, quando vim a saber que Júlio fora igualmente escarnecido por ela. Certo dia, de volta ao lar, encontrou-a nos braços de Armando, o outro amigo que parecia consagrar-nos estima fraternal. Menos forte que eu mesmo, Júlio esqueceu-se do revés com que me dilacerara, semanas antes, e, cego de absorvente afeição, ingeriu grande dose de corrosivo... Socorrido a tempo, na caserna, conseguiu sobreviver, mas, incapaz de suportar os males corpóreos decorrentes da intoxicação, depois de alguns dias embebedou-se deliberadamente e arrojou-se às águas do Paraguai, aniquilando-se enfim... Depois disso, nada mais soube. A morte aguardava-me em Piraju... O destino marcara-me impiedoso...

Mário fixou desagradável carantonha e acentuou:

— Sou um poço de fel. Não posso modificar-me... Haverá paz sem justiça e haverá justiça sem vingança?

Nosso orientador ergueu a voz calmante e considerou, generoso:

— É necessário esquecer o mal, meu amigo. Sem aquela atitude de perdão recomendada pelo Cristo, seremos viajores perdidos no cipoal das trevas de nós mesmos. Sem amor no coração, não teremos olhos para a luz.

Silva dispunha-se a responder; entretanto, Amaro fizera ligeiro movimento e mostrou-se-nos singularmente renovado. Seu veículo espiritual parecia haver regredido no tempo. Revelava-se mais leve e mais ágil e sua face impressionava pelos traços juvenis.

Buscou aproximar-se do enfermeiro num gesto natural de cordialidade; todavia, observando-lhe o rosto metamorfoseado, o antagonista bradou entre o ódio e a angústia:

— Armando! Armando!... Pois és tu? O Amaro que hoje detesto é o mesmo Armando de ontem? Onde me encontro? Enlouqueci, porventura?!...

Instruindo-nos cuidadoso, Clarêncio falou rápido:

— Não precisei despender grande esforço para que a memória de Amaro tornasse ao pretérito. O sofrimento reparador conferiu-lhe à mente e à sensibilidade recursos novos. Bastou-me tocá-lo de leve para que aproveitasse a digressão do antigo companheiro, recuperando as recordações da época em estudo...

O esposo de Zulmira procurava estender braços amigos ao adversário que o contemplava, galvanizado de assombro; contudo, recuando, de repente, como animal ferido, Mário gritou em desespero:

— Não, não! Não te acerques de mim! Não me provoques, não me provoques!...

O ministro, no entanto, situando-se entre os dois, pediu comovidamente:

— Tenhamos calma! Respeitemo-nos uns aos outros!

E, dirigindo-se particularmente ao enfermeiro, determinou, sem afetação:

— Agora, é o momento de nosso amigo. Comentaste o pretérito à vontade. É indispensável que Amaro fale por sua vez. A justiça, em qualquer solução, deve apreciar todas as partes interessadas.

Contido pela força moral da advertência, Mário calou-se e, voltados então para o ferroviário, que se fizera mais simpático pela serenidade de que se investira, continuamos à escuta.

18
Confissão

1   Amaro, cujo semblante exibia os sinais de renovação a que nos reportamos, começou a dizer comovido:
— Sim, recordo-me perfeitamente... A madrugada do ano-bom de 1869 ficou marcada para sempre em nossa memória... Abordaríamos Assunção, procedendo de Santo Antônio, em angustiosa expectativa... A curiosidade abafava a exaustão... Lembro-me de que, antecedendo-se ao desembarque, Esteves procurou-nos, solicitando-nos o concurso fraterno para a solução de um problema que reputava importante para o futuro que o aguardava... Éramos três amigos inseparáveis na caserna e achávamo-nos os três juntos... Ele, Júlio e eu... Na incerteza das ocorrências que nos esperavam, pedia-nos, na hipótese de perecer em combate, notificar sua morte à jovem Lina Flores, que conhecera, dias antes, em Villeta... Referiu-se, entusiástico, ao amor que os ligava e aos projetos que formavam, considerando o porvir... Preocupados com a aflição do companheiro, reconfortamo-lo com palavras de compreensão e esperança, colocando-nos

em guarda... A capital paraguaia, porém, revelava-se fatigada e desprevenida... Jamais olvidarei a gritaria dos nossos, triunfantes, vendo-se seguros sobre a presa, criando aflitivos problemas para as autoridades... Revejo ainda a fisionomia risonha de Esteves, quando se reconheceu são e salvo... Em breve, comunicava-nos o consórcio. Ninguém realmente podia casar-se em campanha, mas o enlace efetuou-se às ocultas, sob a bênção de um sacerdote e com a tolerância dos dirigentes da ocupação, atendendo-se à circunstância de que a noiva era uma pobre menina brasileira, desde muito aprisionada...

Amaro fez pequena pausa, recobrando energias, e continuou:
— Recordo-me de que Júlio e eu fomos em visita ao lar de Esteves, pela primeira vez, em fevereiro do mesmo ano; contudo, colocados à frente de Lina, ambos nos sentimos incompreensivelmente ligados àquela jovem bela e simples, cuja presença exerceu, de imediato, sobre nós, intraduzível atração... Guardei comigo a surpresa que me possuía, mas Júlio, impulsivo e irrequieto, veio a mim extravasando o coração... A esposa de Esteves dominara-lhe a mente, de súbito... Se pudesse haver chegado antes do companheiro — acentuava enamorado —, não lhe cederia o lugar... Sustentava a impressão de que Lina já lhe havia surgido em sonhos... E, desse modo, várias vezes repetiu confidências que me tocavam as fibras mais íntimas. Notando-lhe o estado da alma e reconhecendo o direito de Esteves sobre a mulher que desposara, tentei retrair-me... Calquei o sentimento e procurei o olvido necessário... A paixão de Júlio era demasiado forte para resignar-se. Insinuou-se à recém-casada, cobriu-a de gentilezas e, provavelmente, quem sabe, nas vicissitudes da guerra e quase criança para guardar-se, como era preciso, nas responsabilidades do casamento, Lina envolveu-se nas atenções do rapaz, fazendo-lhe concessões... Recordo-me do dia em que Esteves me procurou, desolado, comentando o golpe que recebera...

Chorou debruçado nos meus ombros. Desejava desaparecer, aniquilar-se... Fiz-lhe observar, porém, a inoportunidade de qualquer violência... Enfermeiro bem-conceituado e protegido do conselheiro Silva Paranhos, nosso embaixador em missão extraordinária, junto às Repúblicas do Prata, não lhe seria difícil a retirada de Assunção... Assim aconteceu. Esteves afastou-se, primeiramente rio abaixo, na direção de Villeta, de onde havia trazido a esposa e onde se achavam, retardados, alguns camaradas enfermos, aos quais prestaria assistência... Nada mais soube dele, a não ser que havia morrido misteriosamente em Piraju...

Evidenciando enorme padecimento moral diante daquelas evocações, Silva estremeceu e, aproveitando o intervalo que se fizera, bradou agoniado:

— E a tua participação no infortúnio de minha casa? Quem me convencerá de que também não te achavas de parceria com Júlio, na destruição de minha felicidade? Infames!...

Clarêncio, afetuoso, acomodou o enfermeiro irritado, recomendando-lhe esperar a narração até o fim.

Amaro não perdera a calma.

Assinalou a objurgatória do adversário, fixando triste sorriso, e continuou:

— Sim, minha confissão deve ser exata e completa... Entendendo que Lina e Júlio se haviam ajustado para a vida comum, tentei distanciar-me... Temia por mim mesmo. Lina, no entanto, como que me registrava a inclinação imanifesta... Deitava-me olhares que me acordavam, simultaneamente, para a alegria e para a dor. Queria aproximar-me e fugir dela, ao mesmo tempo... A princípio, tentei evitá-la; contudo, o afastamento do Marquês de Caxias deixava as tropas com larga provisão de tempo para diversões... Instado talvez pela companheira, Júlio constrangia-me a frequentar-lhe a casa. O jogo alegre e o chá saboroso reuniam-nos os três, noite a noite... Amedrontado, ante o sentimento que a moça despertava em meu coração, não somente porque não devia perturbar-lhe a harmonia doméstica, mas também porque possuía uma noiva no Brasil, busquei isolar-me, de novo... Reparando, todavia, o assédio de Lina, resolvi asilar-me no trabalho mais intenso e consegui a designação para servir na vigilância noturna do Palacete Resquin, onde a ocupação concentrava todos os assuntos e documentos de interesse do nosso país... Ela, entretanto, não desistiu do propósito de que se animava. Certa noite, procurou-me, disfarçada em mulher do povo... A sós comigo, confessou-se... Declarava-se atormentada, aflita... Sentira-se amada por Esteves e via-se ardentemente querida por Júlio, mas não pudera interessar-se pela felicidade junto deles, odiando-os por fim...

Amaro confiou-se a longa pausa e continuou:

— Quem poderá explicar os enigmas do coração humano? Quem possuirá bastante visão para surpreender os caminhos da alma? Incapaz de dominar-me, cometi a falta de assumir um compromisso espiritual que não me competia... Lina agarrou-se ao meu afeto com o vigor da hera numa construção sem defesa... E foi assim que, em certa manhã de maio, meu companheiro encontrou-nos juntos... Desesperado, Júlio ingeriu grande quantidade de corrosivo, mas, amparado suficientemente, foi salvo... Debalde, porém, submeteu-se ao tratamento na caserna. Adquiriu estranhos padecimentos da garganta e do esôfago e, não sabendo como suportar as provações físicas e morais, arrastou-se, um dia, até as águas do Paraguai, supondo encontrar na morte a paz que procurava... Experimentando pesados remorsos, por minha vez perdi a afeição que me algemava à mulher que nos atraíra e infelicitara e fugi dela, fugi incorporando-me às tropas que combateriam os derradeiros remanescentes de Solano López, na Cordilheira... Prometi-lhe a volta; todavia, terminada a luta, tornei à pátria por outros caminhos, decidido a jamais reencontrá-la...

Amaro, mais comovido, passou a destra pelo rosto e prosseguiu, depois de breve pausa:

— Dez anos correram, apressados... Novamente no Rio, casei-me e fui feliz... Numa noite de chuva forte, minha esposa e eu tornávamos do teatro, quando os cavalos em disparada colheram pobre mulher embriagada na via pública... O cocheiro sofreou os animais e desci a socorrê-la... E enquanto minha companheira continuou o trajeto para a casa, procurei internar a mísera criatura para a assistência imediata... Guardas e populares auxiliaram-me a empresa, mas com inesquecível assombro, quando a mulher foi recolhida ao leito, de ventre rasgado a esvair-se em sangue, nela identifiquei Lina Flores... Por dois dias lutou contra a morte... A infeliz reconheceu-me, relacionou as desditas que atravessara, desde que se viu sozinha no Paraguai, esclareceu que viera ao Rio à minha procura e emocionou-me com a narração do drama angustioso em que vivia, tentando a recuperação da felicidade que perdera para sempre... Morreu revoltada e sofredora, amaldiçoando o mundo e as criaturas...

Amaro interrompeu-se, titubeante.

Mário Silva, estupefato, fixava-o, entre o desespero e o pavor.

Notava-se que o ferroviário esforçava-se, em vão, para reaver novas faixas da memória.

Nosso instrutor, contudo, afagou-lhe a fronte, envolvendo-o em renovadas forças magnéticas, e perguntou:

— Onde voltaste a vê-la?

O interpelado esboçou o sorriso de quem recolhera a resposta em si mesmo e informou:

— Ah! sim... reencontrei-a na vida espiritual. Achava-se unida a Júlio em aflitivas condições de sofrimento depurador... Compreendi a extensão de meu débito e prometi ressarci-lo... Ampará-los-ia... Auxiliaria os dois na senda terrestre... Lutaríamos, lado a lado, para conquistar a coroa de redenção... Sim, sim, o destino!... É preciso solver os compromissos do passado, conquistando o futuro!...

Calou-se o esposo de Zulmira, visivelmente fatigado, mas o enfermeiro, não obstante contido pela força paternal de Clarêncio, começou a chamar por Júlio, emitindo brados terríveis.

19
Dor e surpresa

1 — Júlio! Júlio! Compareça, covarde!... — bramia o enfermeiro, possesso.

E, percebendo talvez a simpatia que Amaro nos conquistara, à face da serenidade com que suportava a situação, prosseguiu, invocando, revel:

— Compareça para desmascarar o patife que procura comover-nos! Júlio, odeio-te! Mas é necessário apareças! Acusa teu desalmado assassino!...

O ministro procurava contê-lo, bondoso, mas Silva, como potro indomesticado, gesticulava a esmo e continuava conclamando:

— Júlio!... Júlio!...

Sim, Júlio não respondeu à chamada; entretanto, alguém surgiu, surpreendendo-nos a atenção.

A irmã Blandina, em pessoa, qual se fora nominalmente intimada, estacou junto de nós.

Envolvidos na doce luz que nos banhou, de improviso, aquietamo-nos perplexos, à exceção de Clarêncio, que se mantinha calmo, como se aguardasse semelhante visita.

Depois de saudar-nos, Blandina rogou humilde:

— Irmãos, por amor a Jesus, atendei!... Temos Júlio sob a nossa guarda. Acha-se doente, aflito... Vossos apelos individuais alteram-lhe o modo de ser... Poderia colocar-se mentalmente ao vosso encontro; contudo, atravessa agora difíceis provas de reajuste... Venho implorar-vos caridade!... Compadecei-vos de quem hoje se esforça por olvidar o que foi ontem para regenerar-se amanhã, com eficiência!...

Havia tanta aflição e tanta ternura naquela rogativa que a vibração do ambiente modificou-se de súbito.

Comecei a entender com mais clareza a trama obscura do romance vivo que abordávamos. Júlio, o menino doente, era o companheiro que voltava na condição de filho do amigo com quem outrora se desaviera...

Não pude, porém, alongar divagações, porque Silva, provavelmente revoltado contra a emoção que nos senhoreava o espírito, passou a reclamar de novo:

— Anjo ou mulher, não lutarei contra o sortilégio! Não lutarei! Mas preciso arrojar este bandido ao despenhadeiro que merece por suas deslavadas mentiras!... Que Júlio permaneça no Céu ou no Inferno, sob a custódia dos arcanjos ou dos demônios; todavia, exijo que a verdade surja, inteira!... Recorro ao testemunho de Lina! Que Lina compareça! Que ela deponha! Se nos achamos aqui, convocados pelo destino que nos algema uns aos outros, que a pérfida mulher seja ouvida igualmente...

Nosso instrutor, assumindo a chefia espiritual do grupo, convidou com energia e brandura:

— Lina encontra-se não longe de nós. Entremos.

A determinação foi obedecida.

Na penumbra do quarto que já conhecíamos, a segunda esposa de Amaro jazia subjugada pela outra.

Enquanto Odila se nos afigurava mais rancorosa e mais dura, Zulmira revelava-se mais abatida.

Clarêncio enlaçou Mário, como um pai que recolhe um filho carinhosamente, e, apontando a enferma, esclareceu generoso:

— Amigo, acalma-te! Lina Flores, atualmente, padece na forja da luta e do sacrifício, a fim de recuperar-se. Apaga a labareda de ódio que te requeima o coração! Deixa que nova compreensão te beneficie a alma ulcerada!... Não nos cabe prejudicar o caminho de quem procura a regeneração que lhe é necessária!...

Ante o olhar de Mário, espantadiço e agoniado, o ministro considerou:

— Lina, hoje, com imensas dificuldades, tenta alcançar a altura do casamento digno e, superando tremendos obstáculos, constrói os alicerces da missão de maternidade para a qual se encaminha... Ajudemo-la com as nossas vibrações de compreensão e carinho. Quando amamos realmente, antes de tudo é a felicidade da criatura amada que nos interessa...

Nosso grupo avançou algo mais.

Junto de nós, Blandina mantinha-se em prece.

O orientador abeirou-se da doente, com atenção respeitosa, e mostrou-lhe o rosto ossudo e triste ao enfermeiro que, ao reconhecê-la, bradou aterrado:

— Zulmira! Zulmira, então, é Lina que volta?

O ministro acariciou-lhe a cabeça e informou conciso:

— Sim, regressou em companhia de Armando, em dolorosas reparações. O consórcio para eles não foi o castelo de flores de laranjeira, mas sim uma associação de interesses espirituais para o trabalho regenerativo. Armando, em luta no plano da vida real para reerguer-se, aceitou o compromisso de reconduzi-la à dignidade feminina, amparando-lhe as angústias silenciosas...

Estupefato, Silva exclamou cambaleante:

— Quer dizer então que Zulmira me traiu duas vezes?

— Não te refiras à traição — corrigiu Clarêncio, sem alterar-se —, é imprescindível compreender! Armando, ontem, escutou apelos inferiores, incompatíveis com as responsabilidades de que se via depositário. Hoje, é compelido a responder, embora constrangido, a requisições de natureza edificante, às quais, em verdade, não lhe será lícito fugir. Lina Flores reclama alguém que a recambie ao serviço renovador, a fim de que se habilite a auxiliar Júlio, devidamente. Todos somos devedores uns dos outros. As almas aprimoram-se, grupo a grupo, à maneira de pequenas constelações, gravitando em torno do Sol Magno, Jesus Cristo!... Como um astro que se distancia do núcleo em que se integra, abandonaste a órbita de velhos companheiros de evolução, caindo, pelas vibrações de afetividade e ódio, no centro de forças em que Leonardo Pires e Lola Ibarruri aguardam-te a precisa cooperação, de modo a se liberarem perante a Lei. Amaro, noutro tempo, separou Zulmira e Júlio, estabelecendo espinheiros dilacerantes entre os dois... Agora, cabe-lhe reuni-los no carinho familiar, para que na posição de mãe e filho se reajustem na afeição santificadora... Antigamente, isolaste Leonardo da afetuosa assistência de Lola, criando embaraços asfixiantes à própria marcha... Prepara-te na fé para congregá-los, de novo, no templo doméstico, igualmente na condição de filho e mãe, de maneira a se redimirem para a bênção do amor puro... Nossas ações são pesadas na Justiça Divina... Não podemos enganar o Supremo Senhor. Nossos débitos, por isso mesmo, devem ser resgatados, ceitil a ceitil...

A ligeira preleção trouxera-nos enorme proveito.

Amaro dobrara a cerviz, revelando-se disposto a obedecer aos ditames de natureza superior, fossem como fossem.

Silva, no entanto, não parecia desperto para as verdades que Clarêncio pronunciara.

.5   Hipnotizado na contemplação da mulher querida, demonstrava-se indiferente.

Depois de fitá-la, absorto, entre o carinho e a aversão, quebrou a quietude que envolvera o recinto, rugindo desesperado:

— Não posso modificar-me, desgraçado de mim!... Odiarei! Odiarei a infame que voltou!... Somente a vingança me convém, não quero perdoar! Não quero perdoar!...

Novamente enraivecido e inquieto, como fera solta, erguia os punhos cerrados contra a desditosa mulher que jazia no leito, em lastimável prostração. Seu veículo espiritual rodeava-se agora de um halo cinzento-escuro, que despedia raios desagradáveis e perturbantes.

Nosso orientador libertou-o da influência magnética com que lhe tolhia as energias.

Tão logo se reconheceu sem o controle que lhe sofreava os movimentos, Silva retrocedeu, exclamando:

— Não suporto mais! Não suporto mais!...

E correu para o seio da noite.

Clarêncio recomendou-nos seguir-lhe o passo, enquanto prestaria assistência ao ferroviário e à esposa, em colaboração com Blandina. O enfermeiro, decerto — informou o ministro prestimoso —, retomaria o corpo denso em aflitivas condições de saúde. Passes anestesiantes deviam favorecê-lo. Não podia lembrar a experiência grave daquela hora. A aventura provocada pela insistência mental dele mesmo era suscetível de perigosas consequências.

Num átimo, Hilário e eu achamo-nos ao lado de Silva, que aderia ao envoltório de carne com o automatismo da molécula de ferro atraída pelo ímã.

Examinamo-lo atentamente.

O peito arfava-lhe sibilante.

O coração acusava-se desgovernado, sob o império de insopitável arritmia.

De imediato, entramos em ação, sossegando-lhe o campo mental, quanto possível, por meio de sedativos magnéticos.

Ainda assim, apesar dos passes, pelos quais foi completamente envolvido de energias revigoradoras, o moço acordou agoniado, hesitante e trêmulo, como se estivesse fugindo de medonhas tempestades no mundo íntimo.

Semi-inconsciente, despendeu vários minutos para identificar-se.

O pensamento surgia-lhe atormentado, nebuloso...

Tentou locomover-se, mas não conseguiu. Sentia-se chumbado à cama, quase na situação de um cadáver repentinamente desperto.

Buscou alinhar recordações; contudo, não pôde.

Sabia tão somente que atravessara grande pesadelo cujas dimensões lhe não cabiam na memória.

Suarento, aflito, sentia-se morrer...

Instintivamente orou, suplicando a proteção divina.

Bastou essa atitude da alma para ligar-se, com mais facilidade, aos fluidos restauradores que lhe administrávamos.

Pouco a pouco, readquiriu os movimentos livres e levantou-se, ingerindo uma pílula calmante.

Amedrontado, sentou-se no leito e, mergulhando a cabeça nas mãos, falou, sem palavras, de si para consigo: "Estou evidentemente conturbado. Amanhã, consultarei um psiquiatra. É a minha única solução".

Sim — concordei comigo mesmo —, o ódio gera a loucura. Quem se debate contra o bem cai nas garras da perturbação e da morte.

Com semelhante raciocínio, afastei-me.

Clarêncio aguardava-nos.

Era preciso continuar na lição.

20
Conflitos da alma

1   Voltando à residência de Amaro, ainda conseguimos observá-lo, fora do veículo denso, em conversação com Odila, sob o amparo direto de nosso orientador.

A primeira esposa do ferroviário, identificando o marido, provavelmente com o auxílio de Clarêncio, abandonara Zulmira por instantes e ajoelhara-se-lhe aos pés, rogando, súplice:

— Amaro, expulsa! Corre com esta mulher de nossa casa! Ela furtou a nossa paz... Matou nosso filho, prejudica Evelina e transtorna-te!...

Apontando a enferma com terrível olhar, acentuava:

— Por que reténs semelhante intrusa?

O interpelado, muito triste, esforçava-se por dirigir a atenção no rumo de nosso instrutor, mas talvez torturado pelo reencontro com a primeira mulher, mal-humorada e enfurecida, perdera a serenidade que lhe caracterizava habitualmente o semblante.

Enquanto junto de nós, versando os problemas de ordem moral que lhe absorviam a mente, sustentara calma invejável, com aristocrática penetração nos problemas da vida, ali, perante a mulher que lhe dominava os sentimentos, revelava-se mais acessível ao desequilíbrio e à conturbação.

Mostrava-se interessado em responder às objurgatórias que ouvia; entretanto, extrema palidez fisionômica denunciava-lhe agora a inibidora emoção.

Situado entre Odila e Zulmira, parecia dividir-se entre o amor e a piedade.

A genitora de Evelina prosseguia gritando, com inflexão enternecedora; no entanto, imóvel, o marido assemelhava-se a uma estátua viva, de dúvida e sofrimento.

Esperava que o nosso orientador, qual acontecera minutos antes com o ferroviário, reconduzisse a mente de Odila às impressões do pretérito, a fim de acalmar-lhe o coração, e cheguei a falar-lhe nesse sentido, mas Clarêncio informou bondoso:

— Não, não convém. Nossa história cresceria demasiado por espraiar-se excessivamente no tempo. É aconselhável nossa sustentação no fio de trabalho nascido na prece de Evelina.

Reparando que o ferroviário manifestava estranha aflição, o ministro acercou-se dele e paternalmente afastou-o de Odila, transportando-o para o leito em que o seu carro físico repousava.

A pobre desencarnada tentava agarrar-se a ele, clamando em desconsolo:

— Amaro! Amaro! Não me abandones assim!

O relógio carrilhão da família assinalava três da manhã.

O dono da casa acordou, abatido.

Esfregou os olhos, sonolento, guardando a ideia de ainda estar ouvindo o apelo que vibrava no ar:

— Amaro! Amaro!

O abalo do reencontro fora nele muito forte. Na tela mnemônica permanecia tão somente a fase última de sua incursão espiritual — a imagem de Odila, que se lhe afigurava implorando socorro...

Da palestra que alimentara conosco não restava traço algum.

Deixando-o entregue à lembrança fragmentária que lhe assomava à consciência como simples sonho, partimos.

A irmã Blandina solicitava-nos concurso imediato em favor do pequeno Júlio, que confiava aos cuidados de Mariana, enquanto nos buscava a companhia.

Valendo-me da excursão para o Lar da Bênção, indaguei do ministro quanto a certo enigma que me feria a imaginação.

Esteves, ao tempo da Guerra do Paraguai, sofrera tanto quanto Júlio o suplício do veneno. Por que surgiam em ambos efeitos tão díspares? O menino ainda trazia a garganta doente, ao passo que o enfermeiro, vitimado por Leonardo, não parecia haver conhecido qualquer consequência mais grave...

Clarêncio, sorrindo, explicou afetuoso:

— Não tomaste em consideração o exame das causas. Esteves foi envenenado, enquanto Júlio se envenenou. Há muita diferença. O suicídio acarreta vasto complexo de culpa. A fixação mental do remorso opera inapreciáveis desequilíbrios no corpo espiritual. O mal como que se instala nos recessos da consciência que o arquiteta e concretiza. Vimos Leonardo Pires com a imagem de Esteves atormentando-lhe a imaginação e observamos Júlio, enfermo até agora, em consequência de erros deliberados aos quais se entregou há quase oitenta anos. O pensamento que desencadeia o mal encarcera-se nos resultados dele, porque sofre fatalmente os choques de retorno, no veículo em que se manifesta.

E, à frente das silenciosas reflexões que me absorviam, acrescentou:

— É natural que assim seja.

Atingíramos a graciosa residência de Blandina.

Entramos.

O choro de Júlio infundia compaixão.

Após saudarmos a devotada Mariana, que o assistia com desvelo maternal, o ministro examinou-o e notificou à irmã Blandina, algo inquieta:

— Estejamos tranquilos. Espero conduzi-lo à reencarnação em breves dias.

— Sim, essa providência não deve tardar — considerou nossa amiga, atenciosa.

Assinalando-nos decerto a curiosidade, uma vez que também percebia Hilário interessado em adquirir informações e conhecimentos a respeito dos problemas que anotávamos de perto, o instrutor convidou-nos a observar a infortunada criança, comunicando:

— Como não desconhecem, o nosso corpo de matéria rarefeita está intimamente regido por sete centros de força, que se conjugam nas ramificações dos plexos e que, vibrando em sintonia uns com os outros, ao influxo do poder diretriz da mente, estabelecem, para nosso uso, um veículo de células elétricas, que podemos definir como um campo eletromagnético, no qual o pensamento vibra em circuito fechado. Nossa posição mental determina o peso específico do nosso envoltório espiritual e, consequentemente, o *habitat* que lhe compete. Mero problema de padrão vibratório. Cada qual de nós respira em determinado tipo de onda. Quanto mais primitiva se revela a condição da mente, mais fraco é o influxo vibratório do pensamento, induzindo a compulsória aglutinação do ser às regiões da consciência embrionária ou torturada, onde se reúnem as vidas inferiores que lhe são afins. O crescimento do influxo mental, no veículo eletromagnético em que nos movemos, após abandonar o corpo terrestre, está na medida da experiência adquirida e arquivada em nosso próprio espírito. Atentos a semelhante realidade, é fácil compreender que sublimamos ou desequilibramos o delicado agente de nossas manifestações, conforme o tipo de pensamento que nos flui da vida íntima. Quanto mais nos avizinhamos da esfera animal, maior é a condensação obscurecente de nossa organização, e quanto mais nos elevamos, ao preço de esforço próprio, no rumo das gloriosas construções do espírito, maior é a sutileza de nosso envoltório, que passa a combinar-se facilmente com a beleza, com a harmonia e com a luz reinantes na Criação Divina.

5 Ouvíamos as preciosas explicações, enlevados, mas Clarêncio, reparando que não nos cabia fugir do quadro ambiente, voltou-se para a garganta enferma de Júlio e continuou:

— Não nos afastemos das observações práticas, para estudar com clareza os conflitos da alma. Tal seja a viciação do pensamento, tal será a desarmonia no centro de força, que reage em nosso corpo a essa ou àquela classe de influxos mentais. Apliquemos à nossa aula rápida, tanto quanto nos seja possível, a terminologia trazida do mundo, para que vocês consigam fixar com mais segurança os nossos apontamentos. Analisando a fisiologia do perispírito, classifiquemos os seus centros de força, aproveitando a lembrança das regiões mais importantes do corpo terrestre. Temos, assim, por expressão máxima do veículo que nos serve presentemente, o "centro coronário" que, na Terra, é considerado pela filosofia hindu como o lótus de mil pétalas, por ser o mais significativo em razão do seu alto potencial de radiações, uma vez que nele assenta a ligação com a mente, fulgurante sede da consciência. Esse centro recebe em primeiro lugar os estímulos do espírito, comandando os demais, vibrando, todavia, com eles em justo regime de interdependência. Considerando em nossa exposição os fenômenos do corpo físico, e satisfazendo aos impositivos de simplicidade em nossas definições, devemos dizer que dele emanam as energias de sustentação do sistema nervoso e suas subdivisões, sendo o responsável pela alimentação das células do pensamento e o provedor de todos os recursos eletromagnéticos indispensáveis à estabilidade orgânica. É, por isso, o grande assimilador das energias solares e dos raios da Espiritualidade Superior capazes de favorecer a sublimação da alma. Logo após, anotamos o "centro cerebral", contíguo ao "centro coronário", que ordena as percepções de variada espécie, percepções essas que, na vestimenta carnal, constituem a visão, a audição, o tato e a vasta rede de processos da inteligência que dizem respeito à palavra, à cultura, à arte, ao saber. É no "centro cerebral" que possuímos o comando do núcleo endocrínico, referente aos poderes psíquicos. Em seguida, temos o "centro laríngeo", que preside aos fenômenos vocais, inclusive às atividades do timo, da tireoide e das paratireoides. Logo após, identificamos o "centro cardíaco", que sustenta os serviços da emoção e do equilíbrio geral. Prosseguindo em nossas observações, assinalamos o "centro esplênico" que, no corpo denso, está sediado no baço, regulando a distribuição e a circulação adequada dos recursos vitais em todos os escaninhos do veículo de que nos servimos. Continuando, identificamos o "centro gástrico", que se responsabiliza pela penetração de alimentos e fluidos em nossa organização e, por fim, temos o "centro genésico", em que se localiza o santuário do sexo, como templo modelador de formas e estímulos.

O instrutor fez pequena pausa de repouso e prosseguiu:

— Não podemos olvidar, porém, que o nosso veículo sutil, tanto quanto o corpo de carne, é criação mental no caminho evolutivo, tecido com recursos tomados transitoriamente por nós mesmos aos celeiros do Universo, vaso de que nos utilizamos para ambientar em nossa individualidade eterna a divina luz da sublimação, com que nos cabe demandar as esferas do Espírito Puro. Tudo é trabalho da mente no espaço e no tempo, a valer-se de milhares de formas, a fim de purificar-se e santificar-se para a Glória Divina.

Clarêncio afagou a garganta doente do menino, dando-nos a ideia de que nela fixava o objeto de nossas lições, e aduziu:

— Quando a nossa mente, por atos contrários à Lei Divina, prejudica a harmonia de qualquer um desses fulcros de força de nossa alma, naturalmente se escraviza aos efeitos da ação desequilibrante, obrigando-se ao trabalho de reajuste. No caso de Júlio, observamo-lo como autor da perturbação no "centro laríngeo", alteração que se expressa por enfermidade ou desequilíbrio a acompanhá-lo fatalmente à reencarnação.

— E como sanará ele semelhante deficiência? — perguntei, edificado com os esclarecimentos ouvidos.

Com a serenidade invejável de sempre, o ministro ponderou:

— Nosso Júlio, de atenção encadeada à dor da garganta, constrangido a pensar nela e padecendo-a, recuperar-se-á mentalmente para retificar o tônus vibratório do "centro laríngeo", restabelecendo-lhe a normalidade em seu próprio favor.

E, decerto para gravar, com mais segurança, a elucidação, concluiu:

— Júlio renascerá num equipamento fisiológico deficitário que, de algum modo, lhe retratará a região lesada a que nos reportamos. Sofrerá intensamente do órgão vocal que, sem dúvida, se caracterizará por fraca resistência aos assaltos microbianos, e, em virtude de o nosso amigo haver menosprezado a bênção do corpo físico, será, defrontado por lutas terríveis, nas quais aprenderá a valorizá-lo.

Em seguida, porém, o instrutor desdobrou várias operações magnéticas em benefício do pequeno enfermo, que se mantinha calmo, e, com os agradecimentos das duas solícitas irmãs que nos ouviam atentamente, despedimo-nos de retorno ao nosso domicílio espiritual.

21
Conversação edificante

1   Quando regressávamos ao nosso círculo de trabalho e de estudo, para articular novas providências de auxílio em favor dos protagonistas da história que a vida estava escrevendo, concluí que não me cabia perder a oportunidade de mais amplo entendimento com o nosso orientador, com alusão aos esclarecimentos que nos fornecera, acerca do perispírito.

Assim como o homem comum mal conhece o veículo em que se movimenta, ignorando a maior parte dos processos vitais de que se beneficia e usando o corpo de carne à maneira de um inquilino estranho à casa em que reside, também nós, os desencarnados, somos compelidos a meticulosas meditações para analisar a vestimenta de que nos servimos, de modo a conhecer-lhe a intimidade.

Efetivamente, em novas condições na vida espiritual, passamos a apreciar, com mais segurança, o corpo abandonado à Terra, penetrando os segredos de sua formação e desenvolvimento, sustentação e desintegração, mas somos desafiados pelos enigmas do novo instrumento que passamos a utilizar. Lidamos, na vida maior, com o carro sutil da mente, pelo menos na esfera em que nos situamos, acentuando, pouco a pouco, os nossos conhecimentos, quanto às peculiaridades que lhe dizem respeito.

Reparei que Hilário, pela expressão dos olhos, demonstrava não menor anseio de saber. E, encorajado pela atitude do companheiro, desfechei a primeira questão, considerando:

— Inegavelmente, será difícil alcançar o grande equilíbrio que nos outorgará o trânsito definitivo para as eminências do Espírito Puro.

— Ah, sim — concordou o ministro, com grave entono —, para que tivéssemos na crosta planetária um vaso tão aprimorado e tão belo quanto o corpo humano, a Sabedoria Divina despendeu milênios de séculos, usando os multiformes recursos da Natureza, no campo imensurável das formas... Para que venhamos a possuir o sublime instrumento da mente em planos mais elevados, não podemos esquecer que o Supremo Pai se vale do tempo infinito para aperfeiçoar e sublimar a beleza e a precisão do corpo espiritual que nos conferirá os valores imprescindíveis à nossa adaptação à vida superior.

— Compete-nos, então — observou Hilário, atencioso —, atribuir importante papel às enfermidades na esfera humana. Quase todas estarão no mundo desempenhando expressivo papel na regeneração das almas.

— Exatamente.

— Cada "centro de força" — ponderei — exigirá absoluta harmonia, perante as Leis Divinas que nos regem, a fim de que possamos ascender no rumo do perfeito equilíbrio...

— Sim — confirmou Clarêncio —, nossos deslizes de ordem moral estabelecem a condensação de fluidos inferiores de natureza gravitante, no campo eletromagnético de nossa organização, compelindo-nos a natural cativeiro em derredor das vidas começantes às quais nos imantamos.

3   Hilário, conduzindo mais longe as próprias divagações, perguntou:

— Imaginemos, contudo, um homem puramente selvagem, a situar-se em plena ignorância dos desígnios superiores, que se confia a delitos indiscriminados... Terá nos tecidos sutis da alma as lesões cabíveis a um europeu supercivilizado, que se entrega à indústria do crime?

Clarêncio sorriu compreensivo e acentuou:

— Sigamos devagar. Comentávamos, ainda há pouco, o problema da evolução. Assim como o aperfeiçoado veículo do homem nasceu das formas primárias da Natureza, o corpo espiritual foi iniciado também nos princípios rudimentares da inteligência. É necessário não confundir a semente com a árvore ou a criança com o adulto, embora surjam na mesma paisagem de vida. O instrumento perispirítico do selvagem deve ser classificado como *protoforma humana*, extremamente condensado pela sua integração com a matéria mais densa. Está para o organismo aprimorado dos Espíritos algo enobrecidos, como um macaco antropomorfo está para o homem bem-posto das cidades modernas. Em criaturas dessa espécie, a vida moral está começando a aparecer e o perispírito nelas ainda se encontra enormemente pastoso. Por esse motivo, permanecerão muito tempo na escola da experiência, como o bloco de pedra rude sob marteladas, antes de oferecer de si mesmo a obra-prima... Despenderão séculos e séculos para se rarefazerem, usando múltiplas formas, de modo a conquistarem as qualidades superiores que, sutilizando-lhes a organização, conferir-lhes-ão novas possibilidades de crescimento consciencial. O instinto e a inteligência pouco a pouco se transformam em conhecimento e responsabilidade, e semelhante renovação outorga ao ser mais avançados equipamentos de manifestação... O prodigioso corpo do homem na crosta terrestre foi erigido pacientemente, no curso dos séculos, e o delicado veículo do Espírito, nos planos mais elevados, vem sendo construído, célula a célula, na esteira dos milênios incessantes...

E, com um olhar significativo, Clarêncio concluiu:

— ...até que nos transfiramos de residência, aptos a deixar, em definitivo, o caminho das formas, colocando-nos na direção das esferas do Espírito Puro, onde nos aguardam os inconcebíveis, os inimagináveis recursos da suprema sublimação.

Calara-se o instrutor, mas o assunto era por demais importante para que eu me desinteressasse dele apressadamente.

Recordei os inúmeros casos de moléstias obscuras de meu trato pessoal e aduzi:

— Decerto a Medicina escreveria gloriosos capítulos na Terra, sondando com mais segurança os problemas e as angústias da alma...

— Gravá-los-á mais tarde — confirmou Clarêncio, seguro de si. — Um dia, o homem ensinará ao homem, consoante as instruções do Divino Médico, que a cura de todos os males reside nele próprio. A percentagem quase total das enfermidades humanas guarda origem no psiquismo.

Sorridente, acrescentou:

— Orgulho, vaidade, tirania, egoísmo, preguiça e crueldade são vícios da mente, gerando perturbações e doenças em seus instrumentos de expressão.

No objetivo de aprender, observei:

— É por isso que temos os vales purgatoriais, depois do túmulo... a morte não é redenção...

— Nunca foi — esclareceu o ministro, bondoso. — O pássaro doente não se retira da condição de enfermo, tão só porque se lhe arrebente a gaiola. O inferno é uma criação de almas desequilibradas que se ajuntam, assim como o charco é uma coleção de núcleos lodacentos que se congregam uns aos outros. Quando de consciência inclinada para o bem ou para o mal perpetramos esse ou aquele delito no mundo, realmente podemos ferir ou prejudicar a alguém, mas, antes de tudo, ferimos e prejudicamos a nós mesmos. Se eliminamos a existência do próximo, nossa vítima receberá dos outros tanta simpatia que, em breve, se restabelecerá, nas leis de equilíbrio que nos governam, vindo, muita vez, em nosso auxílio, muito antes que possamos recompor os fios dilacerados de nossa consciência. Quando ofendemos a essa ou àquela criatura, lesamos primeiramente a nossa própria alma, uma vez que rebaixamos a nossa dignidade de Espíritos Eternos, retardando em nós sagradas oportunidades de crescimento.

5 — Sim — concordei —, tenho visto aqui aflitivas paisagens de provação que me constrangem a meditar...

— A enfermidade, como desarmonia espiritual — atalhou o instrutor —, sobrevive no perispírito. As moléstias conhecidas no mundo e outras que ainda escapam ao diagnóstico humano persistirão, por muito tempo, nas esferas torturadas da alma, conduzindo-nos ao reajuste. A dor é o grande e abençoado remédio. Reeduca-nos a atividade mental, reestruturando as peças de nossa instrumentação e polindo os fulcros anímicos de que se vale a nossa inteligência para desenvolver-se na jornada para a vida eterna. Depois do poder de Deus, é a única força capaz de alterar o rumo de nossos pensamentos, compelindo-nos a indispensáveis modificações, com vistas ao Plano Divino, a nosso respeito, e de cuja execução não poderemos fugir sem graves prejuízos para nós mesmos.

Nosso domicílio, porém, estava agora à vista.

Os raios dourados da manhã varriam o horizonte longínquo.

Despediu-se o ministro, paternal.

Aquele era um dos momentos em que, desde muito, se devotava ele à oração.

22
Irmã Clara

1   Na noite imediata às experiências que descrevemos, o ministro convidou-nos a visitar a irmã Clara, a quem pediria socorro em favor do esclarecimento de Odila.

Eu me sentia cada vez mais atraído para o romance vivo daquele grupo de almas que o destino enleara em suas teias.

Se me fosse permitido, voltaria de imediato para junto de Mário Silva rebelado, ou para junto de Amaro paciente, a fim de observar o desdobramento da história, cujos capítulos jaziam gravados nas páginas vivas de seus corações.

Todavia, era necessário esperar.

Enquanto buscávamos a intimidade de Clara, descia o luar em prateados jorros sobre a paisagem que se tapizava de flores.

Com o cérebro preso às preocupações resultantes do trabalho que nos exigia a atenção, algo indaguei de Clarêncio quanto à cooperação que pretendíamos solicitar.

Por que motivo rogaria ele o concurso de outrem, quando se dirigira com tanto êxito à mente de Esteves e Armando reencarnados? Não lhes favorecera o retrocesso da memória, até os recuados dias da luta no Paraguai? Por que não conseguiria doutrinar também a desditosa irmã enferma?

O ministro ouviu-me tolerante e redarguiu:

— Iludes-te. Nem sempre doutrinar será transformar. Efetivamente, guardo alguma força magnética suficientemente desenvolvida, capaz de operar sobre a mente de nossos companheiros em recuperação; no entanto, ainda não disponho de sentimento sublimado, suscetível de garantir a renovação da alma. Sem dúvida, dentro de minhas limitações, estou habilitado a falar à inteligência, mas não me sinto à altura de redimir corações. Para esse fim, para decifrar os complicados labirintos do sofrimento moral, é imprescindível haver atingido mais elevados degraus na humana compreensão.

Dispunha-me a desfechar novo interrogatório; contudo, nosso orientador indicou-nos bela edificação próxima.

Cercada de arvoredo, que servia de enfeite a espaçosos canteiros de flores, a residência de Clara figurou-se-nos pequeno colégio ou gracioso internato para moças.

Até certo ponto, não nos enganáramos.

A nossa anfitriã não morava num estabelecimento de ensino; entretanto, mantinha em casa um verdadeiro educandário, tão grandes e luzidas eram as assembleias instrutivas que sabia organizar.

Recebeu-nos em extenso salão, onde era atenciosamente ouvida por quatro dezenas de alunos de variadas condições, que se instalavam à vontade, em grupos diversos, sem qualquer ideia de escola assinalando o ambiente em sua feição exterior.

De olhos rasgados e lúcidos a lhe marcarem magnificamente o semblante com os traços aristocráticos do rosto emoldurados pela basta cabeleira, Clara parecia uma jovem madona, detida entre os melhores dons da mocidade e da madureza. Estendeu-nos as mãos pequenas e finas, respondendo-nos às saudações com alegria sincera.

Nosso orientador rogou excusas pela nossa interferência no trabalho.

— Não se incomodem — acentuou a interlocutora, encantadoramente natural —, achamo-nos num curso rápido, acerca da importância da voz a serviço da palavra. Podem partilhá-lo conosco. Nossa aula é uma simples conversação...

Fitando bondosamente o ministro, rematou:

— Sentem-se. Sou eu quem pede perdão por fazê-los esperar mais um pouco. Em breves instantes, todavia, entraremos em nosso entendimento mais íntimo.

E, voltando à poltrona que nada tinha de cátedra, sem qualquer atitude professoral, tão grande era o doce ambiente de maternidade que sabia irradiar de si, começou a dizer para os aprendizes:

— Conforme estudamos na noite de hoje, a palavra, qualquer que ela seja, surge invariavelmente dotada de energias elétricas específicas, libertando raios de natureza dinâmica. A mente, como não ignoramos, é o incessante gerador de força, por intermédio dos fios positivos e negativos do sentimento e do pensamento, produzindo o verbo, que é sempre uma descarga eletromagnética, regulada pela voz. Por isso mesmo, em todos os nossos campos de atividade, a voz nos tonaliza a exteriorização, reclamando apuro de vida interior, uma vez que a palavra, depois do impulso mental, vive na base da criação; é por ela que os homens se aproximam e se ajustam para o serviço que lhes compete e, pela voz, o trabalho pode ser favorecido ou retardado, no espaço e no tempo.

Dentro da pausa ligeira que se fizera espontânea, simpática senhora interrogou:

— Mas, para que tenhamos a solução do problema, é indispensável jamais nos encolerizarmos?

— Sim — elucidou a instrutora, calma —, indiscutivelmente, a cólera não aproveita a ninguém, não passa de perigoso curto-circuito de nossas forças mentais, por defeito na instalação de nosso mundo emotivo, arremessando raios destruidores, ao redor de nossos passos...

Sorrindo bem-humorada, acrescentou:

— Em tais ocasiões, se não encontramos, junto de nós, alguém com o material isolante da oração ou da paciência, o súbito desequilíbrio de nossas energias estabelece os mais altos prejuízos à nossa vida, porque os pensamentos desvairados, interiorizando-se, provocam a temporária cegueira de nossa mente, arrojando-a em sensações de remoto pretérito, nas quais como que descemos quase sem perceber a infelizes experiências da animalidade inferior. A cólera, segundo reconhecemos, não pode e nem deve comparecer em nossas observações relativas à voz. A criatura enfurecida é um dínamo em descontrole, cujo contato pode gerar as mais estranhas perturbações.

Um moço, com evidente interesse nas lições, argumentou:

— E se substituíssemos o termo "cólera" pelo termo "indignação"?

Irmã Clara pensou alguns instantes e redarguiu:

— Efetivamente, não poderíamos completar os nossos apontamentos sem analisar a indignação como estado da alma, por vezes necessário. Naturalmente é imprescindível fugir aos excessos. Contrariar-se alguém a propósito de bagatelas e a todos os instantes do dia será baratear os dons da vida, desperdiçando-os, de modo inconsequente, sem o mínimo proveito para si mesmo ou para os outros. Imaginemos a indignação por subida de tensão na usina de nossos recursos orgânicos, criando efeitos especiais à eficiência de nossas tarefas. Nos casos de exceção, em que semelhante diferença de potencial ocorre em nossa vida íntima, não podemos esquecer o controle da inflexão vocal. Assim como a administração da energia elétrica reclama atenção para a voltagem, precisamos vigiar a nossa indignação principalmente quando seja imperioso vertê-la pela palavra, carregando a nossa voz tão somente com a força suscetível de ser aproveitada por aqueles a quem endereçamos a carga de nossos sentimentos. É indispensável modular a expressão da frase, como se gradua a emissão elétrica...

5   E, ante a assembleia que lhe registrava os ensinamentos com justificável respeito, prosseguiu, depois de ligeiro intervalo:

— Nossa vida pode ser comparada a grande curso educativo, em cujas classes inumeráveis damos e recebemos, ajudamos e somos ajudados. A serenidade, em todas as circunstâncias, será sempre a nossa melhor conselheira, mas, em alguns aspectos de nossa luta, a indignação é necessária para marcar a nossa repulsa contra os atos deliberados de rebelião ante as Leis do Senhor. Essa elevada tensão de espírito, porém, nunca deve arrojar-se à violência e jamais deve perder a dignidade de que fomos investidos, recebendo da Divina Confiança a graça do conhecimento superior. Basta, dentro dela, a nossa abstenção dos atos que intimamente reprovamos, porque a nossa atitude é uma corrente de indução magnética. Em torno de nós, quem simpatiza conosco geralmente faz aquilo que nos vê fazer. Nosso exemplo, em razão disso, é um fulcro de atração. Precisamos, assim, de muita cautela com a palavra, nos momentos de tensão alta do nosso mundo emotivo, a fim de que a nossa voz não se desmande em gritos selvagens ou em considerações cruéis que não passam de choques mortíferos que infligimos aos outros, semeando espinheiros de antipatia e revolta que nos prejudicarão a própria tarefa.

Um amigo que acompanhava os ensinamentos, com interesse invulgar, perguntou respeitoso:

— Irmã Clara, como devemos interpretar as perturbações da voz, como, por exemplo, a gaguez e a diplofonia?[11]

— Sem dúvida — informou a instrutora, solícita —, os órgãos vocais experimentam igualmente lutas e provações quando reclamam reajuste. Por intermédio da voz, praticamos vários delitos de tirania mental e, por meio dela, nos cabe reparar os débitos contraídos. As enfermidades dessa ordem compelem-nos ao trabalho de recuperação no silêncio, uma vez que, sofrendo a alheia observação, aprendemos pouco a pouco a governar os próprios impulsos, afeiçoando-os ao bem.

A orientadora, que falava com absoluta simplicidade e à maneira de um anjo maternal dirigindo-se aos filhinhos, comentou, ainda por alguns minutos, o tema singular com surpreendente primor de definição.

Depois, finda a aula, permaneceram no belo domicílio tão somente algumas jovens que encontravam em nossa anfitriã desvelada benfeitora.

Clara convidou-nos a pequena peça contígua e o ministro deu-lhe a conhecer o objetivo de nossa visitação. Alguém na Terra precisava ouvi-la, a fim de modificar-se. A interlocutora perguntou, com carinho, quanto às particularidades do serviço que pretendíamos realizar.

Clarêncio resumiu o drama que nos empolgava a atenção.

Quando se inteirou de que amargurada mulher devia renunciar ao companheiro que permanecia na Terra, vimos imensa compaixão se lhe estampar no rosto. Seus olhos enevoaram-se de lágrimas que não chegaram a cair...

---

[11] N.E.: Emissão anormal da voz, caracterizada pela formação simultânea, na laringe, de dois sons vocais de alturas diferentes.

.7   Compreendi que a nobre instrutora, aureolada de soberanos valores morais, trazia consigo profundas mágoas imanifestas. Certamente, buscávamos reconforto para um coração infeliz num coração que talvez estivesse padecendo ainda mais...

— Pobre criatura! — disse a orientadora, comovida.

E, afirmando-se com tempo bastante para ausentar-se, acolheu-nos o apelo e dispôs-se a seguir-nos generosamente.

23
Apelo maternal

1   A paisagem doméstica, na residência de Amaro, não mostrava qualquer alteração.

Zulmira, atormentada por Odila, que realmente lhe vampirizava as forças, jazia no leito, apática e desolada, como estátua viva de angústia e medo, escutando o vento que zunia lá fora...

Mais magra e mais abatida, exibia comovedoramente a própria exaustão.

Irmã Clara, depois de expressivo entendimento com o nosso orientador, solicitou que nos mantivéssemos a pequena distância, e, abeirando-se da genitora de Evelina, que tanto quanto a enferma não nos percebia a presença, alongou os braços em prece.

Sob forte emoção, acompanhei o formoso quadro que se desdobrou divino ao nosso olhar.

Gradativamente, o recinto foi invadido por vasto círculo de luz, do qual se fizera a instrutora o núcleo irradiante. Assemelhava-se nossa amiga a uma estrela repentinamente trazida à

Terra, com os dois braços distendidos em forma de asas, prestes a desferir excelso voo...

Cercava-a enorme halo de dourado esplendor, como se ouro eterizado e luminescente lhe emoldurasse a forma leve e sublime... Dos revérberos dessa natureza, passavam as irradiações a tonalidades diferentes, em círculos fechados sobre si mesmos, caminhando dos reflexos de ouro e opala ao róseo vivo, do róseo vivo ao azul-celeste, do azul-celeste ao verde-claro e do verde--claro ao violeta suave, que se transfundia em outros aspectos a me escaparem da apreciação...

Tive a ideia de que a irmã Clara se convertera no centro de milagroso arco-íris, cuja existência nunca pudera vislumbrar.

Fizera-se a casa excessivamente estreita para aquela abençoada fonte de raios balsamizantes e indefiníveis.

Reparei que a própria Odila se aquietara como que dominada por branda coação.

Extático, mal consegui articular alguns monossílabos, procurando esclarecimento em nosso instrutor.

— Irmã Clara — informou o ministro, igualmente enlevado — já atingiu o total equilíbrio dos centros de força que irradiam ondulações luminosas e distintas. Em oração, ao influxo da mente enaltecida, emite as vibrações do seu sentimento purificado, que constituem projeções de harmonia e beleza a lhe fluírem do ser. Se partilhássemos com ela a mesma posição evolutiva, entraríamos agora em relação imediata com o elevado plano de consciência em que se exterioriza e, então, em vez de somente observarmos este deslumbramento de luz e cor, perceberíamos a mensagem glorificada que lhe nasce do coração, uma vez que as irradiações sob nossos olhos são música e linguagem, sabedoria e amor do pensamento a expressar-se maravilhoso e vivo... A sintonia espiritual perfeita, porém, só é possível entre aqueles que se confundem na afinidade completa...

A mensageira transfigurada parecia mais bela.

Avançou para a primeira esposa de Amaro e cobriu-lhe os olhos com a destra lirial.

— Reparem — disse Clarêncio, feliz —: ela guarda o poder de ampliar a visão. Odila identificar-lhe-á a presença, assim como a vemos.

Com efeito, vimos que a genitora de Evelina, tocada por aqueles dedos celestes, proferiu um grito de encantamento selvagem e caiu de joelhos.

Naturalmente ofuscada pelo brilho de que se envolvia a visitante inesperada, começou a chorar, suplicando:

— Anjo de Deus, socorre-me! Socorre-me!...

— Odila, que fazes? — interrogou a emissária com inesquecível inflexão de ternura.

— Estou aqui, vingando-me por amor...

— Haverá, porém, algum ponto de contato entre amor e vingança?

Indicando timidamente a triste companheira que jazia acorrentada ao leito, Odila tentou conservar a atitude que lhe era característica, exclamando cruel:

— Devo alijar a intrusa que me assaltou a casa! Esta miserável mulher tomou-me o marido e assassinou-me o filhinho!... Quem ama faz justiça pelas próprias mãos!...

— Pobre filha! — revidou Clara, abraçando-a. — Quem ama semeia a vida e a alegria, combatendo o sofrimento e a morte... Quando nosso culto afetivo se converte em flagelação para os que seguem ao nosso lado, não abrigamos outro sentimento que não seja aquele do desvairado apego a nós mesmos, na centralização do egoísmo aviltante. Achamo-nos à frente de infortunada irmã, arrojada a dolorosa prova. Não te dói vê-la derrotada e infeliz?

— Ela desposou o homem que amo!... — soluçou Odila, mais dominada pela influência magnética da mensageira que impressionada por suas belas palavras.

— Não seria mais justo — ponderou Clara sem afetação — considerar que ele a desposou?

E, acariciando-lhe a cabeça agora trêmula, a instrutora aduziu:

— Odila, o ciúme que não destruímos, enquanto dispomos da oportunidade de trabalhar no corpo denso, transforma-se em aflitiva fogueira a calcinar-nos o coração, depois da morte. Acalma-te! A mulher de carne, que eras, precisa agora oferecer lugar à mulher de luz que deves ser. A porta do lar terrestre, onde te supunhas rainha de pequeno império sem-fim, cerrou-se com os teus olhos materiais! A passagem na Terra é um dia na escola... Todos os bens que desfrutávamos no mundo de onde viemos constituíam recursos do Senhor que no-los concedia a título precário. Por lá, raramente nos lembramos de que o tesouro do carinho doméstico é algo semelhante a sementeira preciosa, cujos valores devemos estender...

"Começamos a obra de amor no lar, mas é necessário desenvolvê-la no rumo da Humanidade inteira. Temos um só Pai, que é o Senhor da Bondade Infinita, que nos centraliza as esperanças... Somos, assim, todos irmãos, partes integrantes de uma família só... Já te imaginaste no lugar de Zulmira, experimentando-lhe as dificuldades e aflições? Já te colocaste na condição do esposo que asseveras amar? Se te visses no mundo, sem a companhia dele, com os filhinhos necessitados de consolo e sustentação, não sentirias reconhecimento por alguém que te auxiliasse a protegê-los? Consideras somente os teus problemas... Entretanto, o homem amado permanece no cárcere de escuros padecimentos íntimos a debater-se com enigmas inquietantes, sem que te disponhas a socorrê-lo...

— Não me fales assim! — imprecou a interpelada, com evidentes sinais de angústia. — Odeio a infame que nos roubou a felicidade...

.5   — Odila, reflete! Esqueces-te de que a mulher sempre é mãe? O túmulo não te restituirá o corpo que a Terra consumiu, e, se desejas recuperar a ternura e a confiança do companheiro que deixaste na retaguarda, é preciso saber amá-lo com o espírito. Modifica os impulsos do coração! Não suponhas Amaro capaz de querer-te, transtornada qual te encontras, entre as farpas envenenadas do despeito, caso chegasse, de repente, até nós...

— Ela, porém, matou meu filho!...

— Como podes provar semelhante acusação?

— A intrusa invejava-lhe a posição no carinho de Amaro.

— Sim — concordou Clara, afetuosa —, admito que Zulmira assim se conduzisse. É inexperiente ainda, e a ignorância enquanto nos demoramos na Terra pode impedir-nos a visão, mas não seria justo, tão somente por isso, atribuir-lhe a morte do pequenino... Medita! A verdadeira fraternidade ajudar-te-á a sentir naquela que te sucedeu no lar uma filha suscetível de recolher-te o afeto e a orientação... Em lugar de forjares uma inimiga na sinistra bigorna da crueldade, edificarás uma dedicação nobre e leal para enriquecer-te a vida. Retirando a luz do teu amor das chamas comburentes do inferno de ciúme em que padeces pela própria vontade, serás realmente para o homem querido e para a filha que clama por tua assistência uma inspiração e uma bênção!...

Talvez porque Odila, quase vencida, simplesmente chorasse, a mensageira afagava-lhe os cabelos, acrescentando:

— Sei que sofres igualmente como mãe atormentada... Recorda, contudo, que nossos filhos pertencem a Deus... E se a morte colheu a criança que estremeces, separando-a dos braços paternais, é que a Vontade Divina determinou o afastamento...

A mensageira amimava-lhe a fronte, dando-nos a impressão de que a submetia a suaves operações magnéticas.

Depois de alguns instantes em que apenas ouvíamos os soluços de Odila transformada, a venerável amiga acentuou:

— Por que não te dispões a clarear o próprio caminho, a fim de reencontrares o teu anjo e embalá-lo, de novo, em teus braços, em vez de te consagrares inutilmente à vingança que te cega os olhos e enregela o coração?

Clara, certo, alcançara o ponto sensível daquela alma atribulada, porque a infortunada genitora de Evelina, qual se arrojasse para fora de si mesma todos os pesares que lhe senhoreavam os sentimentos, gritou, como fera jugulada pela dor:

— Meu filho!... Meu filho!...

E seu pranto convulsivo se fez mais angustiado, mais comovente.

A emissária do bem abraçou-a com maternal carícia e falou-lhe aos ouvidos:

— Rejubila-te, irmã querida! Grande é a tua felicidade! Podes ajudar e isso representa a ventura maior! Nada te impede auxiliar o companheiro da humana experiência, ao alcance de tuas mãos, e basta uma prece de amor puro, com o testemunho de tua compreensão e de tua piedade, para que venças a reduzida distância entre o teu sofrimento e o filhinho idolatrado!... Há 22 séculos espero por um minuto igual a este para o meu saudoso e agoniado coração, uma vez que os meus amados ainda não se inclinaram para mim!...

A voz de Clara parecia mesclada de lágrimas que não chegavam a surgir.

Dominada pelas vibrações da mensageira celeste, Odila agarrava-se a ela, prosseguindo em choro convulso, enquanto a instrutora repetia com desvelos de mãe:

— Vamos, filha! Vamos à procura de nossa renovação com Jesus!...

Amparando-a, Clara conduziu-a para fora, colada ao próprio peito.

Junto de nós, Clarêncio informou:

— Agora, Zulmira poderá recuperar-se. A adversária retirou-se sem a violência que lhe prejudicaria o campo mental.

E, acompanhando o nosso orientador, afastamo-nos por nossa vez, embora conservássemos a atenção presa à continuação de nossa edificante aventura.

24
Carinho reparador

1   Odila, sob o patrocínio da irmã Clara, foi internada numa instituição de tratamento, por alguns dias, e, durante sete noites consecutivas, visitamos Zulmira, em companhia de nosso orientador, a fim de auxiliar o soerguimento dela.

A segunda esposa de Amaro mostrava-se melhor. Mais silenciosa. Mais calma.

Não saíra, porém, da inércia a que se recolhera.

Alijara a excitação de que se via objeto, mas prosseguia entregue a extrema prostração.

Subnutrida, apática, sustentava-se no mais absoluto desânimo.

Atendendo-nos à inquirição habitual, Clarêncio observou prestimoso:

— Acha-se agora liberta; contudo, reclama estímulo para subtrair-se à exaustão. Falta-lhe a vontade de lutar e viver. Confiemos, no entanto. A própria Odila favorecer-lhe-á a recuperação. À medida que se lhe restaure a visão espiritual, a primeira esposa de Amaro aceitará o imperativo de renúncia e fraternidade para construir o futuro que lhe interessa.

Zulmira, com efeito, continuava livre e tranquila.

As peças do corpo funcionavam com irrepreensível harmonia, mas, efetivamente, algo prosseguia faltando...

A máquina mostrava-se reequilibrada; entretanto, mantinha-se preguiçosa, exigindo adequadas providências.

Transcorrida uma semana, irmã Clara convidou-nos a breve entendimento.

Comunicou-nos que Odila revelava grande transformação.

Submetida à assistência magnética, a fim de sondar o passado, reconhecera o impositivo de sua colaboração com o marido para alcançarem ambos a vitória real nos planos do espírito.

Suspirava pelo reencontro com o filhinho, dispunha-se a tudo fazer para ser útil ao esposo e à filhinha...

E, para tanto, combateria a repulsa espontânea que experimentava por Zulmira, a quem auxiliaria como irmã, reajustando-se devidamente para fortalecê-la e ampará-la.

A benfeitora mostrava-se satisfeita.

Recomendava-nos trouxéssemos Amaro, tão logo pudesse ele ausentar-se do veículo físico, na noite próxima, até a casa espiritual de refazimento em que Odila se encontrava.

Do entendimento entre ambos, resultariam decerto os melhores efeitos.

A mãezinha de Evelina estava reformada e daria provas do reajuste, efetuando o primeiro esforço para a reconciliação.

A solicitação de Clara foi alegremente atendida.

Depois de meia-noite, quando o ferroviário se rendeu à branda influência do sono, guiamo-lo ao sítio indicado.

No aposento claro e florido do santuário de recuperação em que Odila se localizava, aguardava-nos a instrutora junto dela.

O pai de Júlio, que seguia menos consciente ao nosso lado, reconhecendo a presença da mulher que amava, ajoelhou-se, cobrou a lucidez que lhe era possível em tais circunstâncias, e exclamou enlevado:

— Odila!... Odila!...

— Amaro — respondeu a antiga companheira, então completamente transfigurada —, sou eu! Sou eu quem te pede coragem e fé, serenidade e valor na tarefa a realizar!...

— Estou farto, farto... — clamou ele, agora em lágrimas a lhe verterem copiosas.

Odila, sustentada pela venerável amiga, levantou-se com alguma dificuldade e, alisando-lhe os cabelos, perguntou, em voz comovida:

— Farto de quê?

— Sinto-me entediado da vida... Casei-me, de novo, como deves saber, acreditando garantir a segurança de nossos filhos para o futuro; entretanto, a mulher que desposei nem de longe chega a teus pés... Fui ludibriado! Em lugar da felicidade, encontrei o desapontamento que não sei disfarçar!...

E, fitando-a com enternecedora expressão, comentou triste:

— Nosso Júlio morreu num desastre, quando encerrava para mim as melhores aspirações, nossa filha se estiola num quarto sem alegria e a madrasta que lhes impus apodrece num leito!... Ah! Odila, poderás compreender o que sofro? Tenho rogado a morte ao Céu para que nos reunamos na eternidade, mas a morte não vem...

A esposa, compreensivelmente mais bela pelos pensamentos redentores que agora lhe manavam do ser, com os olhos enevoados de pranto, falou-lhe com inflexão inesquecível:

— Sim, Amaro, compreendo! Também eu padeci muito; no entanto, hoje reconheço que a nossa dor é agravada por nós mesmos... Por que havemos de converter a distância em rebelião e a saudade em venenoso fel? Por que não reconhecer a Majestade suprema de Deus, na orientação de nossos destinos? Não temos sabido cultivar o amor que é sacrifício na Terra para a edificação de nosso paraíso espiritual... Temos exigido quando devemos dar, dilacerado quando nos cabe recompor!... Amaro, é preciso acalmar o coração para que a vida nos auxilie a entendê-la; é indispensável ceder de nós, a fim de receber dos outros o concurso de que necessitamos... Na aspereza de meus sentimentos deseducados, vinha eu adubando o espinheiro do ciúme, atormentando-te o pensamento e perturbando a nossa casa! Mas, em alguns dias rápidos, adquiri mais ampla penetração em nossos problemas, usando a chave da boa vontade!... Quero melhorar-me, progredir, reviver...

O ferroviário contemplou-a, carinhoso e reverente, e acentuou desalentado:

— Isso não impede a terrível realidade. Achamo-nos em dois mundos diferentes... Infortunado que sou! Sinto-me desarvorado e infeliz!...

— Achava-me igualmente assim; contudo, procurei no silêncio e na oração o roteiro renovador.

— Que fazer de Zulmira, colocada entre nós como empecilho à nossa verdadeira união?

— Não raciocines desse modo! Ela não permaneceria em tua estrada sem motivo justo.

Nesse instante, Clarêncio abeirou-se do ferroviário e, tocando-lhe a fronte com a destra, ofereceu-lhe ao campo mental o retorno imediato às recordações das dívidas por ele contraídas no Paraguai.

Amaro estremeceu e continuou escutando.

— Se Zulmira foi situada no templo de nosso amor — prosseguiu Odila, admiravelmente inspirada —, é que nosso amor lhe deve a bênção da felicidade de que nos sentimos possuídos...

— Sim... sim... — aprovava agora o interlocutor, de posse das reminiscências fragmentárias que lhe assomavam do coração.

— Interpretemo-la por nossa filha, por irmã de Evelina, cujos passos nos compete encaminhar para o bem. O lar não é apenas o domicílio dos corpos... É o ninho das almas, em cujo doce aconchego desenvolvemos as asas que nos transportarão aos cumes da glória eterna. Aceitemos a provação e a dor como abençoadas instrutoras de nossa romagem para Deus...

— Todavia — ponderou o moço, triste —, sabes quanto te amo!...

— Não ignoras, por tua vez, que o teu coração constitui para mim o tesouro maior da vida; entretanto, hoje vejo o horizonte mais largo... Valeria realmente o brilho dos oásis fechados? Serviria a construção de um palácio, em pleno deserto, onde estaríamos humilhando com a nossa saciedade os viajores que passassem por nós, mortificados de sede e fome? Como categorizar o carinho que se pervertesse no isolamento, a pretexto de conservar a ventura só para si? Renovemo-nos, Amaro! Nunca é tarde para recomeçar o bem!... Trabalhemos, valorizando o tempo e a vida!...

Tocado talvez nas fibras mais íntimas, o pai de Evelina chorava convulsivamente, infundindo piedade...

Odila enlaçou-o com mais ternura e Clara convidou-nos a excursão através do grande jardim próximo.

A breves instantes, achávamo-nos em plena contemplação do céu...

Os dois cônjuges instalaram-se em perfumado recanto para a conversação a sós.

Notamos que a orientadora se preocupava em deixá-los entregues um ao outro, para mais seguro ajuste espiritual. E, enquanto ambos se recolhiam a confortadoras confidências, distanciávamo-nos, de algum modo, admirando a beleza da noite.

Maravilhoso, o firmamento cintilava.

Longínquas constelações como que nos acenavam, indicando glorioso futuro...

Virações suaves deslizavam, de leve, quais se fossem cariciosas e intangíveis mãos do vento, amimando-nos a cabeça.

Flores de rara beleza vertiam do cálice raios de claridade diurna, como pequeninos e graciosos reservatórios do esplendor solar.

Irmã Clara fascinava-nos com a sua palavra brilhante. Com simplicidade encantadora, comentava suas viagens a outras esferas de trabalho e realização, exaltando em cada narrativa o amor e a sabedoria do Pai Celestial.

Por largo tempo, embevecidos, permutamos impressões acerca da excelsitude da vida que se nos revela sempre mais surpreendente e mais bela, em cada plano da Criação.

Avizinhava-se o novo dia...

Tornamos à presença do casal para devolver o companheiro ao lar terrestre. Ambos, ao término do grande entendimento, apresentavam o rosto pacificado e radiante.

Irmã Clara guardou a pupila nos braços e as duas seguiram-nos a romagem de volta.

Em casa, Amaro despediu-se de nós, risonho e calmo.

Dispúnhamo-nos à retirada, quando a instrutora nos advertiu:

— Esperemos. Odila retomará hoje a tarefa.

O relógio marcava seis da manhã.

À maneira de colegial em dia de prova, a transfigurada mãezinha de Júlio fitava-nos com extrema expectação...

Amaro recuperou o corpo físico, descerrando os olhos com excelentes disposições.

Não conseguira relacionar os aspectos particulares da excursão, mas conservava no cérebro a indefinível certeza de que estivera com a primeira esposa em "algum lugar" e que a vira reanimada e feliz.

Distendeu os braços com a deliciosa tranquilidade de quem encontra o fim de longa e aflitiva tensão nervosa.

Levantou-se, reparando que o dia começava alegre e lindo, sem dar conta de que a alegria e a beleza haviam renascido nele próprio.

Sentia vontade de rir e cantar...

E, depois de ausentar-se do banheiro, onde cantarolou baixinho uma canção que lhe recordava o tempo em que se consorciara pela primeira vez, tornou, sorridente, ao quarto de dormir.

Foi então que Odila o enlaçou carinhosamente e exclamou:

— Vamos, querido! Estendamos a nossa felicidade! Zulmira espera por nosso amor...

25
Reconciliação

1   Amaro não registrou o convite da companheira desencarnada, em forma de palavras ouvidas, mas recebeu-o como silencioso apelo à vida mental.

Dirigiu-se a pequenina copa, pensando em Zulmira, com o insopitável desejo de comunicar-lhe o estranho contentamento de que se via possuído.

Não seria justo envolver a esposa doente na onda de alegria em que se banhava?

Vimos que Odila tremeu um instante, ao lhe observar a súbita felicidade com a perspectiva de restauração do carinho para com a segunda mulher. Compreendi o esforço que a iniciativa lhe reclamava ao coração feminino e, mais uma vez, reconheci que a morte do corpo não exonera o Espírito da obrigação de renovar-se. No fundo, não podia sentir, de imediato, plena isenção de ciúme; entretanto, aceitava o ideal de sublimação que se lhe implantara no sentimento e não parecia disposta a perder a oportunidade de reajuste.

Notando-lhe a queda de forças, Clara abeirou-se dela e falou maternal:

— Prossigamos firmes. Todo bem que fizeres a Zulmira redundará em favor de ti mesma. Não esmoreças. Ajuda-te. A vontade, à procura do bem, realiza milagres em nós mesmos. O sacrifício é o preço da verdadeira felicidade.

O abraço afetuoso da benfeitora infundiu-lhe energias novas. Os olhos dela brilharam outra vez.

Enlaçada ao marido, impeliu-o docemente ao leito em que a pobre doente repousava.

A enferma, por certo, desde muito perdera o contato com qualquer manifestação afetiva por parte do companheiro, e, assim, ao lhe ver o semblante carinhoso e feliz, exibiu larga nota de espanto.

— Zulmira — perguntou ele, inclinando-se para o seu rosto ossudo e desconsolado —, estás realmente melhor?

— Sim... sim... — suspirou a interpelada, hesitante.

— Escuta! Hoje, amanheci pensando em nós, em nossa felicidade... Não julgas seja tempo de reagirmos contra o sofrimento que nos cerca? Preocupo-me por ti, acamada e abatida, desde a morte de Júlio...

Notei que do tórax de Amaro emanava largo fluxo de energia radiante, assim como um jato de raios de luz verde-prateada que envolveram o busto de Zulmira, despertando-lhe emotividade incoercível.

A desventurada senhora começou a chorar, dando-nos a impressão de que os fluidos arremessados sobre ela lhe lavavam o coração.

Clarêncio, calmo, informou:

— Como vemos, a sinceridade dispõe de recursos característicos. Emite forças que não deixam margem a enganos. O sentimento puro com que Amaro se dirige agora à esposa é fator decisivo para que ela se reerga e se cure.

O ferroviário, auxiliado por Odila, enxugou as lágrimas que corriam copiosas daqueles olhos macerados e tristes e continuou:

— Peço confies em mim! Afinal de contas, somos companheiros um do outro... Como poderei ser feliz sem o teu concurso? Não nos casamos para chorar...

— Amaro — exclamou a interlocutora agoniada, conservando ainda os últimos resíduos mentais do complexo de culpa em que se torturava —, como te agradeço a alegria desta hora!... Entretanto, a imagem de Júlio não me sai da lembrança... Sinto que o remorso me persegue. Não fiz tudo o que eu devia para salvar o filhinho que me confiaste!...

— Esqueçamos o passado — asseverou o esposo, decidido —, todos pertencemos a Deus e acredito que a Divina Vontade vive conosco, em toda parte. Indiscutivelmente, Júlio nos faz muita falta, mas não podemos renunciar à vida que o Céu nos concedeu. É imprescindível lutar, procurando a vitória.

Ligado à mente da primeira esposa, que tudo fazia por ajudá-lo, prosseguiu com enternecedora inflexão de voz:

— Não olvides que pertencemos aos compromissos morais que assumimos... O carinho do meu caçula significava muitíssimo para o meu coração; contudo, não pode ser mais importante que o nosso amor!... Refaze-te! Vivamos nossa vida!... Temos Evelina e a nossa felicidade!...

A doente sentou-se, de olhos reanimados e diferentes.

E, enquanto o esposo acomodava-se ao lado dela, víamos Odila, de fisionomia satisfeita, dirigir-se ao quarto da filha.

Instintivamente acompanhamo-la, de modo a assisti-la em qualquer dificuldade. Ela, porém, com inefável surpresa para nós, colocou a destra sobre a fronte da menina, solicitando-lhe a presença.

Findos alguns instantes, Evelina, em Espírito, voltou ao aposento em que seu corpo repousava.

Vendo a mãezinha, correu a abraçá-la.

Fundiram-se ambas num amplexo longo e comovedor, misturando-se as lágrimas.

— Enfim! Enfim!... — clamou a jovem maravilhada.

— Minha filha! Minha filha!

E, em seguida, a genitora descansou nela os olhos inflamados de esperança, pedindo súplice:

— Evelina, ajuda-nos! Se não nos unirmos sob a luz da compreensão e do trabalho, nossa casa desaparecerá... Teu pai e eu não podemos dispensar-te o concurso. Da saúde e da paz de Zulmira depende a feliz continuação de nossa tarefa... Deus não nos reúne para a indiferença ou para o egoísmo, e sim para o serviço salutar de uns pelos outros!...

— Mãezinha — explicou a jovem extática —, tenho orado, tenho pedido ao seu coração nos auxilie...

— Sim, Evelina, sei que em tua abnegação não te descuidas da prece. Jesus terá recebido teus rogos... Achava-me surda, vitimada pelo ruído destruidor de minha própria incompreensão. Sinto, porém, que minha alma desperta hoje... e vejo que nos compete algo fazer para restaurar o valor de teu pai e a alegria de nossa casa...

— Continuarei orando...

— Não olvides a prece, querida, mas a súplica que não age pode ser uma flor sem perfume. Peçamos o socorro do Senhor, algo realizando para contribuir em seu apostolado divino... Comecemos por refundir a confiança em tua nova mãe. Faze-te melhor para ela... Procura-a, desdobra-te no trabalho de preservação da tranquilidade doméstica, a fim de que Zulmira se veja segura de teu afeto e de teu entendimento filial... Uma rosa sobre a mesa, uma vassoura diligente, uma peça de roupa cuidadosamente guardada, uma escova no lugar que lhe compete, são serviços de Jesus, no santuário da família, com os quais devemos valorizar o pensamento religioso...

Não te detenhas tão somente nas boas intenções. Movimenta-te no trabalho encorajador da harmonia. Sê o anjo do serviço em nossa casinha singela! Zulmira necessita de uma irmã, de uma filha!... Aproveita a oportunidade e faze o melhor!...

Evelina, com indefinível contentamento a iluminar-lhe o rosto, enlaçou a mãezinha com extremada ternura e beijou-a muitas vezes.

Logo após, passando a obedecer à mensageira, retomou o corpo carnal e acordou deslumbrada.

Tão grande se lhe afigurava a própria ventura que detinha a impressão de estar descendo da Esfera Celestial.

A imagem de Odila, carinhosa e bela, ocupava-lhe, agora, todo o espelho da mente.

Estendeu as mãos em torno como se ainda pudesse tocar a genitora com os dedos de carne, conservando perfeita lembrança da inolvidável entrevista.

Intensamente feliz, ergueu-se de um salto e vestiu-se.

Finda a higiene rápida, vimos Odila recolhê-la nos braços, conduzindo-a igualmente até Zulmira.

Induzida pela influência materna, passou pela copa e chegou junto da madrasta, oferecendo-lhe pequena bandeja com a leve refeição da manhã.

Amaro e a companheira receberam-na encantados.

— Meu Deus — disse a doente, sorrindo —, tenho a impressão de que um anjo penetrou nossa casa. Tudo hoje amanheceu contentamento e bom ânimo!...

Evelina alcançou o leito, reuniu os dois cônjuges num só abraço e falou jubilosa:

— Sonhei com mãezinha! Vi-a tão nítida, como se ainda estivesse conosco. Afirmou que necessitamos de amor e recomendou seja eu para Zulmira a filha que ela não tem!... Ah! que felicidade!... Mamãe ouviu minhas preces!

O ferroviário anotou, satisfeito, a informação, guardando, porém, consigo mesmo as recordações da noite para não ferir as suscetibilidades da companheira, e Zulmira, a seu turno, embora lembrasse os repetidos pesadelos que atravessara, sentindo-se atormentada pelos ciúmes de Odila, abafou as próprias reminiscências, para aderir com toda a alma ao otimismo daquele abençoado momento de paz e renovação.

Fixando a madrasta, com embevecimento, a menina acrescentou:

— Quero ser melhor, mais diligente e mais amiga!... Papai, você e eu seremos doravante mais felizes.

A pobre senhora suspirou reconfortada e aduziu:

— Sem dúvida alguma, Odila deve ser o nosso gênio protetor... É muita alegria nesta manhã para que a nossa ventura seja simples sonho ou mera coincidência!

Aquele testemunho de gratidão, partido com a melhor espontaneidade da mulher considerada, até então, por inimiga, tocou as recônditas fibras da primeira esposa de Amaro, que, incapaz de suportar a emoção, começou a chorar entre o reconhecimento e o regozijo.

Irmã Clara abraçou-a e falou humilde:

— Chora, minha filha! Chora de júbilo! Em verdade, quando o amor sublime penetra em nosso coração, a luz do Senhor passa a reger os passos de nossa vida.

26
Mãe e filho

1   A alegria plena coroara o trio doméstico.
Mostrando a expectativa de uma colegial preocupada em receber a aprovação dos mentores, Odila ergueu os olhos lacrimosos para irmã Clara, perguntando:
— Terei agido corretamente?
Lia-se-lhe no rosto a necessidade de uma frase estimulante. A venerável amiga conchegou-a de encontro ao coração.
— Venceste, valorosa — disse terna —; compreendeste o santo dever do amor. Abençoarás para sempre este maravilhoso dia de renúncia e doação de ti mesma.
Vimos Odila colar-se a ela, à maneira de uma criança nos braços maternais, chorando copiosamente.
— Não te comovas tanto assim! — apelou a benfeitora, osculando-lhe os cabelos.
Sensibilizando-nos igualmente, a primeira esposa de Amaro respondeu com dificuldade:

— Meu pranto não é de sofrimento... Sinto-me agora leve e feliz... Como não compreendia eu assim, antes?!...

— Sim — elucidou Clara, de modo significativo —, perdeste peso espiritual, habilitando-te à elevação de nível. Nossas paixões inferiores imantam-nos à Terra, como o visco prende o pássaro a distância das alturas...

E, afagando-a, acentuou bondosa:

— Vamos! Deste agora o amor puro e, por isso, o amor puro não te faltará. De ora em diante, serás aqui bem-aventurada mensageira, uma vez que o teu coração permanecerá em serviço dos anjos guardiães de nossos destinos, que velam por nós abnegadamente, esperando-nos na vida mais alta. Cedendo o carinho de teu companheiro à outra mulher, de cuja colaboração necessita ele para redimir-se, conquistaste nele novo patrimônio de afetividade, e, aproximando a filhinha daquela a quem devemos querer como irmã, adquiriste o merecimento indispensável para recuperar o filhinho, cujo futuro poderás orientar... Hoje mesmo, estarás ao lado de teu Júlio...

Odila, transfigurada, estampou no semblante a luz da felicidade que lhe fluía do mundo interior.

O Sol inundava a Terra de raios vivificantes, quando a reconduzimos ao hospital, com a promessa de buscá-la, mais tarde, para a viagem ao Lar da Bênção.

Com efeito, transcorridas algumas horas, quando a pausa dos nossos compromissos de trabalho nos ofereceu a oportunidade precisa, convocamo-la ao reencontro.

Sustentada nos braços de Clara, a mãezinha de Júlio revelava inexcedível contentamento.

Era a primeira vez, depois da morte física, que se confiava a romagem tão linda, prorrompendo em exclamações admirativas, ante os surpreendentes jogos da luz.

.3 Nas vizinhanças do sítio para o qual nos dirigíamos, inalava o ar tonificante a longos haustos, deslumbrando-se na visão da Natureza saturada de perfumes e adornada de flores.

Extasiou-se na contemplação das centenas de pequeninos, que brincavam festivamente. Muito pálida, de atenção presa à multidão infantil, na procura ansiosa do filho, achava-se mentalmente muito distanciada de nosso grupo. Por isso mesmo, deixava-se conduzir qual se fora um autômato.

Acompanhando Clarêncio, atingimos a residência de Blandina, que nos acolheu com a gentileza habitual.

Entramos.

Não houve necessidade de muitas palavras.

Atraída pelo grande berço que se levantava à nossa vista, Odila precipitou-se sobre o menino enfermo, bradando alarmada:

— Meu filho! Júlio! Meu filho!...

Indubitavelmente, a Sabedoria Universal colocou imperscrutáveis segredos no carinho materno. Algo de milagroso e divino existe nos laços que unem mães e filhos que, por enquanto, não podemos apreender.

A criança doente transformou-se de súbito.

Indefinível expressão de felicidade cobriu-lhe o semblante.

— Mãe! Mãe!... — gritou, respondendo.

E alongou os braços, agarrando-se-lhe ao busto.

Em lágrimas, Odila retirou-o instintivamente do leito, beijando-o enternecida.

Quando se lhe asserenou a desbordante emotividade, sentou-se ao nosso lado, trazendo o filho ao colo.

Júlio, completamente modificado, contava-lhe quanto lhe doía a garganta, mostrando-lhe a glote extensamente ferida.

E terminada que foi a hora comovente que nos empolgara a todos, Blandina abriu a conversação geral, acentuando contente:

— Sabíamos que a Divina Bondade não deixaria o nosso doentinho sem a ternura maternal. Júlio agora terá junto dele a insubstituível dedicação.

Odila, que se mostrava compreensivelmente conturbada ante a posição orgânica do menino, nada respondeu; contudo, Clara considerou, afetuosa:

— Esperamos localizar nossa amiga no Parque, por algum tempo, e, certo, sentirá prazer em encarregar-se do pequenino.

— Sim, a Escola das Mães apresenta vastas disponibilidades — informou Blandina, prestimosa. — Odila poderá entregar-se com segurança à tarefa assistencial que Júlio exige. Receberá todos os recursos...

— Aflige-me encontrá-lo assim — alegou a genitora preocupada, indicando o pequeno enfermo —, não posso atinar com a razão de uma úlcera tão grande, sem o corpo de carne... não tenho bases para entender de uma só vez tudo quanto vejo, mesmo porque também eu andava louca, incapaz de raciocinar...

Reparei que o ministro e a irmã Clara se entreolharam, de modo expressivo, dando-me a ideia de que conversavam pelo pensamento.

Assinalando as doloridas referências maternas, a instrutora designou com a destra o nosso orientador, ajuntando bem-humorada:

— Clarêncio tem a palavra elucidativa.

— Sim — ponderou o ministro, cauteloso —, nossa irmã, como é natural, encontrará pela frente variados problemas ligados ao caminho de elevação que lhe é próprio. Achamo-nos todos infinitamente longe do Céu que fantasiávamos na Terra, e cada qual de nós detém consigo deficiências que será preciso superar. O passado reflete-se no presente.

Sorrindo, acrescentou:

— Nosso destino é assim como o rio. Por mais diferenciado se encontre, à distância da nascente que lhe dá origem, está sempre ligado a ela pela corrente em ação contínua...

— Procurarei compreender — disse Odila mais segura de si —; sou mãe e não posso desvencilhar-me da obrigação de amparar meu filhinho. Dispensar-lhe-ei todos os cuidados imprescindíveis ao seu bem-estar. Sinto que a felicidade pode ser conquistada no mundo a que fomos trazidos pela renovação... Trabalharei quanto estiver ao meu alcance para ver Júlio integralmente refeito. Hoje, novos ideais me banham o coração. É imperioso esforçar-me. Todos os que amamos virão ter conosco, mais cedo ou mais tarde... Esperanças diferentes me animam o espírito. Amanhã, no porvir talvez próximo, terei meus familiares aqui, de novo, e não posso olvidar a necessidade de algo fazer para conseguir o abrigo de que necessitamos...

Passeou o olhar vago e cismarento pelo recinto como se estivesse contemplando remotos horizontes e concluiu:

— Um lar... a felicidade restaurada... a bênção do reencontro...

Por largo tempo, o comentário edificante brilhou na sala, aquecendo a chama da amizade e da confiança em nossos corações.

Blandina e Mariana prometeram cooperar, insistindo para que Odila se demorasse junto delas, até situar-se, em definitivo, no educandário a que se destinava.

A renovada senhora aceitou, reconhecidamente.

Despedimo-nos, felizes.

Após nos separarmos de Clara, retomando o caminho de volta ao nosso domicílio espiritual, julguei conveniente interpelar o instrutor acerca dos problemas que me esfervilhavam no cérebro.

Por que não esclarecer Odila com respeito ao pretérito de Júlio? Seria aconselhável deixá-la entregue a informações deficientes, quando lhe conhecíamos extensamente os enigmas da organização familiar? Por que não lhe explanar francamente o impositivo da reencarnação do menino?

Clarêncio, como de outras vezes, ouviu sereno e generoso. Quando acabei o interrogatório, replicou sem alterar-se:

— À primeira vista, seria efetivamente esse o caminho a seguir; entretanto, as recordações do pretérito não devem ser totalmente despertadas, para que ansiedades inúteis não nos dilacerem o presente. A verdade para a alma é como o pão para o corpo que não pode exorbitar da cota necessária a cada dia. Toda precipitação gera desastres. Além do mais, não nos cabe a vaidade de qualquer antecipação a providências que serão agradáveis e construtivas ao amor de nossa irmã. Sentindo-se ainda plenamente integrada no carinho materno, ela própria assumirá a responsabilidade do trabalho alusivo à reencarnação do pequeno. Advogando ela mesma essa medida e destinando-se a criança ao seu antigo lar, encontrará no assunto abençoado serviço de fraternidade, ao mesmo tempo que se reconhecerá mais responsável. Se movêssemos as decisões, Odila observar-se-ia anulada em sua capacidade de agir, ao passo que, confiando a ela as deliberações que o caso reclama, adquirirá novo interesse para auxiliar Zulmira, uma vez que a segunda esposa de Amaro substitui-la-á na condição de mãe, oferecendo novo corpo ao filhinho...

Admirado com os apontamentos ouvidos, vi-me satisfeito na inquirição.

Clarêncio, todavia, com o sorriso natural que lhe marcava habitualmente o semblante, aduziu calmo:

— A vida é uma escola e cada criatura, dentro dela, deve dar a própria lição. Esperemos agora alguns dias. Interessada em socorrer o filhinho doente, a própria Odila virá até nós, lembrando para ele a felicidade da volta à Terra.

27
Preparando a volta

1   Quatro semanas correram céleres, quando fomos realmente procurados por Odila, no Templo do Socorro, para um entendimento particular.

Clarêncio, Hilário e eu recebemo-la quase sem surpresa.

Vinha algo triste e preocupada.

Com respeitosa delicadeza, contou-nos a experiência inquietante que atravessava.

Júlio prosseguia apresentando na fenda glótica a mesma ferida. Instalara-se com ele em aposentos adequados na Escola das Mães e ao filhinho dispensava todo o cuidado suscetível de reerguer-lhe as energias; entretanto, a luta continuava... Recursos medicamentosos e passes magnéticos não faltavam; contudo, não surtiam efeito.

Daria tudo para vê-lo forte e feliz.

Esperava a descoberta de algum milagre capaz de atender-lhe o anseio de mãe; no entanto, visitara em companhia de Blandina outros setores de assistência à infância torturada; vira inúmeras crianças infelizes, portadoras de problemas talvez mais dolorosos que aqueles do filhinho bem-amado.

Apavorara-se.

Jamais supusera a existência de tantas enfermidades depois da morte.

Tentara obter os bons ofícios de vários amigos, para esclarecer-se convenientemente, e todos, à uma, repetiam sempre que os compromissos morais adquiridos conscientemente na carne somente na carne deveriam ser resolvidos, e que, por isso mesmo, a reencarnação para Júlio era o único caminho a seguir.

O corpo físico funcionaria como abafador da moléstia da alma, sanando-a, pouco a pouco...

Que fizera o menino no pretérito para receber semelhante punição?

A pobre senhora enxugava as lágrimas que lhe caíam espontâneas.

Clarêncio, profundo conhecedor do sofrimento humano, falou como sacerdote:

— Odila, o passado agora não é o remédio próprio. Atendamos à hora que passa. Temos Júlio extremamente necessitado à nossa frente e o alívio dele é o nosso objetivo mais imediato.

A mãezinha resignada concordou num gesto silencioso.

— Também creio — prosseguiu o nosso instrutor, imperturbável — que a reencarnação do pequeno é urgente medida se desejamos observá-lo no caminho da própria recuperação.

— Irmã Clara recomendou-me viesse rogar-lhe o concurso. Ajude-me, abnegado amigo!...

— Somos todos irmãos — ajuntou Clarêncio, generoso — e achamo-nos uns à frente dos outros para a prestação do serviço mútuo. Nosso Júlio não é uma criatura comum e, por esse motivo, não seria justo renascer no mundo a esmo, como planta inculta germinando à toa, no mato da vida inferior. Assim sendo, analisemos o quadro de tuas relações afetivas...

Depois de ligeira pausa, acrescentou:

— Tens grande plantio de amizades puras na Terra? Em questões de auxílio, não podemos perder os nossos sentimentos de vista. Tanto para entrar no reino do espírito, como para entrar no reino da carne, em melhores condições, não podemos prescindir da cooperação de amigos sinceros que nos conheçam e nos amem.

— Ah! sim, compreendo... — exclamou a interlocutora com algum desapontamento. — Sempre ocupada com a nossa casa e com a nossa família, nunca pude efetivamente cultivar tantas afeições, como seria de desejar. Amaro, porém...

— Perfeitamente — atalhou o ministro, completando-lhe a frase —, estou certo de que Amaro continuará sendo para o menino um admirável companheiro; entretanto, não podemos dispensar no cometimento o concurso de Zulmira. Precisamos dela no trabalho maternal. Para isso, é imprescindível te faças mais devotada, mais amiga... Um esforço pede outro. Sem o lubrificante da cooperação, a máquina da vida não funciona.

Os olhos de Odila faiscaram de esperança.

— Tudo farei por ajudá-la, auxiliando a mim mesma — disse comovida —, entendo mesmo nesse imperativo de fraternidade a doce determinação do Senhor, constrangendo-me a operosa boa vontade para com ela. Realmente — acentuou, sorrindo —, reparo quão sublime é a Infinita Bondade do Céu. A princípio lutei contra Zulmira, desejando ser amada de meu esposo, agora devo lutar em favor de nossa irmã por amar o meu filho. Muito erramos, disputando o amor dos outros; entretanto, corrigimo-nos e acertamos o passo, quando procuramos amar...

— Sem dúvida, as tuas conclusões são luminoso ensinamento — concordou o ministro, bem-humorado —; em tudo vemos a Eterna Sabedoria.

— Devo buscar alguma regra específica?

— Creio — ponderou o nosso orientador — que as tuas visitas afetuosas ao antigo lar, consolidando-lhe a harmonia, são a providência básica para que Júlio encontre um clima de confiança. Admito que o nosso pequeno reclama especiais atenções, considerando-se-lhe a posição de enfermo, para quem a reencarnação apresenta obstáculos justos.

O entendimento alongou-se por mais tempo, entre os conselhos paternais do ministro e a sincera humildade da visitante.

Quando Odila se despediu, desfechamos sobre o instrutor algumas perguntas que nos fustigavam a cabeça.

A reencarnação como lei exigia o concurso da amizade para cumprir-se? Os desafetos da vida influíam em nosso futuro? O trabalho reencarnatório não seria uma imposição natural?

Clarêncio ouviu atencioso as indagações e respondeu satisfeito:

— A lei é sempre a lei. Cabe-nos tão somente respeitá-la e cumpri-la. Nossa atitude, porém, pode favorecer-lhe ou contrariar-lhe o curso, em favor ou em prejuízo de nós mesmos. O renascimento na carne funciona em condições idênticas para todos; contudo, à medida que se nos desenvolvem o conhecimento e o amor, conseguimos colaborar em todos os serviços do aperfeiçoamento moral em nossas recapitulações. A alma, como a planta, pode ressurgir em qualquer trato de solo, mas não seria justo relegar sementes selecionadas a terrenos incultos. A reencarnação, por si, tanto quanto ocorre nos reinos inferiores à evolução humana, obedece a princípios embriogênicos automáticos, com bases na sintonia magnética; contudo, tratando-se de criaturas com alguns passos à frente da multidão comum, é possível ajustar providências que favoreçam a execução da tarefa a cumprir. Nesses casos, a plantação de simpatia é fator decisivo na obtenção dos recursos de que necessitamos... Quem cultiva a amizade somente na família consanguínea dificilmente encontra meios para desempenhar certas missões fora dela. Quanto mais extenso o nosso raio de trabalho e de amor, mais ampla se faz a colaboração alheia em nosso benefício.

— E quando, desprevenidos, deixamos que a antipatia cresça em derredor de nós? — inquiriu Hilário, com interesse.

— Toda antipatia conservada é perda de tempo, em muitas ocasiões acrescida de lamentáveis compromissos. O espinheiro da aversão exige longos trabalhos de reajuste. Em várias circunstâncias, para curar as chagas de um desafeto, gastamos muitos anos, perdendo o contato com admiráveis companheiros de nossa jornada espiritual para a Grande Luz.

A palavra de Clarêncio impunha-nos graves reflexões e, talvez por isso, a quietação baixou sobre nós.

Soubemos, mais tarde, que a genitora de Evelina passou a dispensar envolvente carinho ao ferroviário e à companheira doente, que, à custa de muito esforço dela, restabeleceu afinal a saúde orgânica.

Preparando o retorno do filhinho, Odila associou-se, de coração, à tarefa de restaurar-lhes a harmonia conjugal e o contentamento de viver.

Foi assim que, transcorridas algumas semanas, recebemos um convite da irmã Clara para uma visita ao Lar da Bênção.

Em noite próxima, Odila conduziria a segunda esposa de Amaro ao encontro de Júlio, como derradeira preliminar do trabalho reencarnatório.

No momento aprazado, achávamo-nos a postos.

Blandina, Mariana, Clarêncio, Hilário e eu, palestrando animadamente em aposentos reservados na Escola das Mães, cercávamos o alvo berço em que o doentinho gemia de quando em quando.

Assistida por irmã Clara, Odila demandara o antigo ninho doméstico, no propósito de acompanhar Zulmira até nós.

Decorrido algum tempo de expectação, as três chegaram, envolvidas em luminosa onda de paz.

Enlaçada pelos braços das duas protetoras, a ex-obsidiada parecia feliz, não obstante a impressão de medo e insegurança que lhe transparecia do olhar.

Respondeu-nos as saudações com a estranheza de quase todos os encarnados que alcançam as esferas superiores da vida espiritual, antes da morte física, e, logo após, sustentada pelas companheiras, aproximou-se do pequeno enfermo, identificando-o, espantada.

— Será Júlio, meu Deus?

— É verdadeiramente Júlio! — confirmou Odila, fraternal. — Para ele te rogamos socorro! Nosso pequeno precisa renascer, Zulmira! Poderás auxiliá-lo, oferecendo-lhe o regaço de mãe?

Vimos a interpelada em lágrimas de alegria.

Inclinou-se sobre o menino, afagando-o com intraduzível ternura, e falou em voz quase sufocada pela comoção:

— Estou pronta! Devo a Júlio cuidados que lhe neguei... Louvo reconhecidamente a Deus por esta graça! Sinto que assim nunca mais serei assaltada pelo remorso de não haver feito por ele quanto me competia!... Será meu filho, sim!... Conchegá-lo-ei de encontro ao peito! Ó Senhor, ampara-me!...

Abraçou o menino enfermo e afigurou-se-nos, desde então, incapaz de qualquer sintonia conosco.

Talvez religada, de súbito, a inquietantes recordações da fixação mental que atravessara, pareceu-nos cega e surda, sob o império de inesperada introversão.

O ministro, atendendo ao apelo de Clara, abeirou-se dela e amparou-a, recomendando:

— Convém seja nossa irmã restituída ao lar terrestre. O choque repetido será prejuízo grave. Amanhã, reconduziremos nosso pequeno ao santuário doméstico de onde veio, confiando-o, enfim, à tarefa do recomeço.

A sugestão foi obedecida.

E enquanto Zulmira voltava ao templo familiar, arquivávamos nossa expectação, à espera do dia seguinte.

28
Retorno

1   Preocupados com o caso de Júlio, no dia imediato indagamos do orientador sobre a planificação do serviço reencarnatório, ao que Clarêncio informou conciso:

— O problema é doloroso, mas é simples. Trata-se tão somente de ligeira prova necessária. Júlio sofrerá o aflitivo desejo de permanecer na Terra, com o empréstimo do corpo físico a prazo longo; entretanto, suicida que foi, com duas tentativas de autoaniquilamento, por duas vezes deverá experimentar a frustração para valorizar com mais segurança a bênção da vida terrestre. Depois de estagiar por muitos anos nas regiões inferiores de nosso plano, confiando-se inutilmente à revolta e à inércia, já passou pelo afogamento e agora enfrentará a intoxicação. Tudo isso é lastimável, no entanto...

E mostrando significativa expressão fisionômica, ajuntou:

— Quem aprenderá sem a cooperação do sofrimento?

— Penso, contudo, no martírio dos pais... — considerou Hilário, hesitante.

— Meus amigos — falou o ministro, generoso —, a justiça é inalienável. Não podemos iludi-la. Com o desequilíbrio emocional de Amaro e Zulmira, no pretérito, Júlio arrojou-se a escuro despenhadeiro de compromissos morais e, na atualidade, reabilitar-se-á com a cooperação deles. Ontem, o casal, por esquecê-lo, inclinou-o à queda; hoje, por amá-lo, garantir-lhe-á o soerguimento.

A palestra esmoreceu, talvez porque o assunto nos compelisse a severa meditação.

Hilário e eu, refletindo na absoluta harmonia da Lei, calamo-nos cismarentos, à espera da noite, quando integraríamos a caravana da amizade que restituiria a criança enferma ao ninho antigo.

Com efeito, avizinhava-se a madrugada, quando alcançamos a residência do ferroviário, envolvida em sombra.

Odila trazia nos braços o filho irrequieto e gemente, enquanto o ministro, irmã Clara, Blandina, Mariana, Hilário e eu rodeávamos ambos, em silêncio.

Penetramos a sala humilde.

Qual se houvera sorvido invisível anestésico, o menino emudeceu.

Junto de nós, o orientador, solícito, explicou:

— O doentinho encontra grande alívio em contato com os fluidos domésticos. O reequilíbrio da alma no ambiente que lhe é familiar no mundo constitui base firme para o êxito da reencarnação.

Não prosseguiu, contudo.

Irmã Clara fez-lhe expressivo aceno e o nosso instrutor penetrou, sozinho, a câmara conjugal, sem dúvida para certificar-se quanto à conveniência de confiarmos o pequenino à sua futura mãe.

Transcorridos alguns minutos, Clarêncio veio ao nosso encontro, convidando-nos a entrar.

Enternecedor espetáculo desdobrou-se à nossa vista.

3   Zulmira em Espírito estendeu-nos braços fraternos. Estava bela, radiante de alegria... E, quando recebeu Júlio, conchegando-o ao próprio peito, pareceu-me sublimada madona, aureolada por maternidade vitoriosa.

Odila chorava.

Clarêncio ergueu os olhos para o alto e orou, em voz comovedora:

> *Senhor, abençoa-nos!... De almas entrelaçadas na esperança em teu infinito amor e no júbilo que nasce da obediência aos teus desígnios, aqui nos achamos, acompanhando um amigo que volta à recapitulação! Dá-lhe forças para submeter-se resignado à cruz que lhe será a salvação!... Ó Pai, sustenta-nos na grande estrada redentora em que o obstáculo e a dor devem ser nossos guias, fortalece-nos o bom ânimo e a serenidade e modera-nos o coração para que saibamos servir-te em qualquer circunstância!... Sobretudo, Senhor, rogamos-te auxílies a nossa irmã que investe sagradas aspirações femininas no apostolado maternal! Santifica-lhe os anseios, multiplica-lhe as energias para que ela se honre contigo na divina tarefa de criar!...*

A palavra do ministro, saturada de paternal amor, desse amor que nos atinge o espírito até a fonte oculta das lágrimas, levara-nos à comoção.

Zulmira, todavia, sensibilizou-nos ainda mais. Atraída pelo poder magnético da oração, avançou com o menino colado ao regaço até junto de nosso orientador e ajoelhou-se.

Aquela humildade ingênua lembrava-me a narração evangélica da viúva de Naim com o filho morto aos pés do Cristo e não pude conter o pranto que me vertia do coração.

Igualmente tocado por aquele gesto espontâneo de confiança e fé, o ministro voltou-se para ela e afagou-lhe a cabeça, transfigurado.

Algo de sublime devia ter acontecido na alma daquele missionário da abnegação que me habituara a querer com extremado carinho.

Jorro estelar descia da Altura, inflamando-lhe a fronte, e da destra que acariciava a irmã genuflexa projetavam-se raios de safirina luz...

Maravilhosos instantes de expectação correram sobre nós.

Em seguida, sustentando-a nos braços, Clarêncio reergueu-a, conduzindo-a ao leito com a criança.

Zulmira, desde então, afigurou-se-nos integralmente concentrada no filhinho, que se enlaçou a ela, instintivamente, à maneira de um molusco a acomodar-se na própria concha.

Júlio dormira placidamente, enfim.

Abraçado ao colo materno, parecia fundir-se nele.

De outras vezes, acompanhara trabalhos preparatórios de reencarnação que exigiam concurso ativo de técnicos do assunto e de benfeitores da vida superior, mas ali o fenômeno era demasiado simples. O corpo sutil do menino como que se justapunha aos delicados tecidos do perispírito maternal, adelgaçando-se gradativamente aos nossos olhos.

Irmã Clara e as companheiras oscularam a futura mãezinha, que tentava recuperar o corpo denso, conduzindo consigo o pequeno confortado e desfalecente, e retiramo-nos, tomados da alegria que nasce, pura, da obrigação bem cumprida.

Odila encarregou-se da assistência a Zulmira, e Clarêncio prometeu seguir, de perto, os serviços naturais daquela gravidez incipiente.

Quando nos vimos, de novo, a sós, as indagações surgiram imperiosas.

O ministro, com a paciência admirável de todos os dias, tomou a palavra e esclareceu:

— A reencarnação no caso de Júlio não reclama de nossa esfera cuidados especiais. É uma descida experimental ao campo da matéria densa, com interesse tão somente para ele mesmo e para os familiares que o cercam. Todavia, se a existência do filho de Amaro estivesse destinada, no momento, a influenciar a comunidade, se ele fosse detentor de méritos indiscutíveis, com responsabilidades justas nos caminhos alheios, o problema seria efetivamente outro. Forças de ordem superior seriam fatalmente mobilizadas para a interferência nos cromossomos, garantindo--se o embrião do veículo físico de maneira adequada à missão que lhe coubesse...

— E se o reencarnante fosse um homem de larga intelectualidade? — inquiriu Hilário, estudioso.

— Merecer-nos-ia cautelosa atenção na estrutura cerebral, para que lhe não faltasse um instrumento à altura de seus deveres na materialização do pensamento.

— E se fosse um médico? Um grande cirurgião, por exemplo? — perguntei por minha vez.

— Receberia assistência aprimorada na formação do sistema nervoso, assegurando-se-lhe pleno domínio das emoções.

Porque não mais indagássemos especificamente, o instrutor continuou:

— Contudo, em milhares de renascimentos, na Terra, os princípios embriogênicos funcionam, automáticos, cada dia. A lei de causa e efeito executa-se sem necessidade de fiscalização da nossa parte. Na reencarnação, basta o magnetismo dos pais, aliado ao forte desejo daquele que regressa ao campo das formas físicas. De retorno ao corpo físico, estamos invariavelmente animados de um propósito firme... seja o anseio de alijar a dor que nos atormenta, a aspiração de conquistas espirituais que nos facilitem o acesso à vida superior, o voto de recapitular serviços malfeitos ou o ideal de realizar grandes tarefas de amor entre aqueles a quem nos afeiçoamos no mundo. De modo geral, a maioria das almas que reencarnam satisfaz à fome inquietante de recomeço. Quem não atendeu com exatidão ao trabalho que a vida lhe delegou se rende depressa ao impositivo de repetição da experiência e o ressurgimento na luta física aparece por bênção salvadora. Milhões de destinos se reestruturam dessa forma, qual se refaz uma grande floresta. A sementeira cresce, estimulada pelo magnetismo do solo; a existência corpórea germina de novo, incentivada pelo magnetismo da carne...

Ante a pausa ligeira do ministro, Hilário perguntou respeitoso:

— O seio maternal, desse modo...

Nosso mentor completou-lhe a definição, respondendo:

— É um vaso anímico de elevado poder magnético ou um molde vivo destinado à fundição e refundição das formas, ao sopro criador da Bondade Divina, que, em toda a parte, nos oferece recursos ao desenvolvimento para a sabedoria e para o amor. Esse vaso atrai a alma sequiosa de renascimento e que lhe é afim, reproduzindo-lhe o corpo denso, no tempo e no espaço, como a terra engole a semente para doar-lhe nova germinação, consoante os princípios que encerra. Maternidade é sagrado serviço espiritual em que a alma se demora séculos, na maioria das vezes aperfeiçoando qualidades do sentimento.

A palestra prosseguia valiosa, mas o tempo nos convocava a outros misteres e, em razão disso, fomos constrangidos a interromper o nosso entendimento acerca do que havíamos visto.

29
Ante a reencarnação

1   Na noite imediata, atendendo-nos a solicitação, Clarêncio conduziu-nos ao domicílio do ferroviário, para observações.

Penetramos respeitosamente o quarto em que Odila nos recebeu contente e gentil.

Tudo lhe parecia desdobrar-se com segurança.

Júlio dormia.

Não mais acordara, informou a guardiã, feliz. Tinha a impressão de que o reencarnante desaparecia pouco a pouco, na constituição orgânica de Zulmira, como se a futura mãezinha fosse um filtro miraculoso a absorvê-lo.

A genitora desencarnada mostrava-se satisfeita e esperançosa. Preferia ver o filhinho confiado ao sono profundo. As aflições e os gemidos dele lhe haviam dilacerado o coração.

O renascimento, por esse motivo, representava uma bênção para as inquietantes responsabilidades maternais de que se via detentora.

Observamos que Júlio se caracterizava por enorme diferença.

O corpo sutil do menino denotava espantosa transformação. Adelgaçara-se de maneira surpreendente.

Tive a ideia de que ele e Zulmira, alma com alma, se fundiam um no outro. A moça ganhara em plenitude física e vivacidade espiritual quanto perdia o menino na apresentação exterior. Júlio adormecera aliviado, ao passo que a jovem senhora demonstrava admirável despertamento para a vida. A segunda esposa de Amaro modificara-se de modo sensível. Como as pessoas felicitadas por novos títulos de confiança no trabalho, revelava-se mais alegre e mais cônscia das obrigações que lhe competiam.

A transfusão fluídica era ali evidente.

O organismo materno assemelhava-se a um alambique destinado a sutilizar as energias do reencarnante para restituí-las, decerto, a ele mesmo, na formação do novo envoltório.

Registrando-nos o assombro, o instrutor explicou com a sua habitual gentileza:

— A reencarnação, tanto quanto a desencarnação, é um choque biológico dos mais apreciáveis. Unido à matriz geradora do santuário materno, em busca de nova forma, o perispírito sofre a influência de fortes correntes eletromagnéticas, que lhe impõem a redução automática. Constituído à base de princípios químicos semelhantes, em suas propriedades, ao hidrogênio, a se expressarem por meio de moléculas significativamente distanciadas umas das outras, quando ligado ao centro genésico feminino experimenta expressiva contração, à maneira do indumento de carne sob carga elétrica de elevado poder. Observa-se, então, a redução volumétrica do veículo sutil pela diminuição dos espaços intermoleculares. Toda matéria que não serve ao trabalho fundamental de refundição da forma é devolvida ao plano etereal, oferecendo-nos o perispírito esse aspecto de desgaste ou de maior fluidez.

— Quer dizer então... — aventurou Hilário, em sua curiosidade construtiva.

— Quero dizer que os princípios organogênicos essenciais do perispírito de Júlio já se encontram reduzidos na intimidade do altar materno, e, à maneira de um ímã, vão aglutinando sobre si os recursos de formação do novo vestuário de carne que lhe será o vaso próximo de manifestação.

— E a forma a rarefazer-se sob nossos olhos? — inquiriu meu colega, espantado.

— Está em ativo processo de dissolução.

E, com a bela serenidade que lhe assinala o espírito, continuou elucidando:

— Também o corpo físico parece dormir na desencarnação, quando, na realidade, começa a restituir as unidades químicas que o compõem à Natureza que lhos emprestou a título precário, apenas com a diferença de que a alma desencarnada, ainda mesmo quando em deploráveis condições de sofrimento e inferioridade, avança para a libertação relativa, ao passo que, quando reencarnamos, sofremos o processo de volta às teias da matéria densa, não obstante orientados por nobres objetivos de evolução. É por isso que, conduzidos à reconstituição orgânica, revivemos, nos primeiros tempos da organização fetal, embora apressadamente, todo o nosso pretérito biológico. Cada ser que retoma o envoltório físico revive, automaticamente, na reconstrução da forma em que se exprimirá na Terra, todo o passado que lhe diz respeito, estacionando na mais alta configuração típica que já conquistou, para o trabalho que lhe compete, de acordo com o degrau evolutivo em que se encontra.

A maneira simples pela qual Clarêncio esflorava problemas tão complexos induzia-nos a sublimados pensamentos quanto à magnitude das Leis universais.

Ali, diante de um caso comum de reencarnação, auxiliado apenas pelas nossas preces no culto à fraternidade, obtínhamos vastas elucidações sobre o plano geral da existência.

Inspirado talvez na mesma faixa de reflexões que me preocupavam o espírito, Hilário inquiriu:

— Os princípios que analisamos funcionam em igualdade de circunstâncias para os animais?

— Como não? — replicou o nosso orientador, paciente. — Todos nos achamos na grande marcha de crescimento para a imortalidade. Nas linhas infinitas do instinto, da inteligência, da razão e da sublimação, permanecemos todos vinculados à lei do renascimento como inalienável condição de progresso. Atacamos experiências múltiplas e recapitulamo-las, tantas vezes quantas se fizerem necessárias, na grande jornada para Deus. Crisálidas de inteligência nos setores mais obscuros da Natureza evolvem para o plano das inteligências fragmentárias, onde se localizam os animais de ordem superior que, por sua vez, se dirigem para o reino da consciência humana, tanto quanto os homens, pouco a pouco, se encaminham para as gloriosas esferas dos anjos.

O instrutor, entretanto, voltou-se para o leito em que mãe e filho jaziam, intimamente associados, e sentenciou:

— Preocupemo-nos, porém, com o serviço da hora presente. Estudemos o caso sob nossa observação para que o nosso dever de solidariedade seja bem cumprido.

O apontamento reajustou-nos.

Hilário que, tanto quanto eu, se mostrava interessado em aproveitar a lição, fixando o quadro sob nossos olhos, pediu uma explicação tão simples quanto possível acerca da comunhão fisiopsíquica de Zulmira e Júlio naquele instante, ao que Clarêncio respondeu, após refletir alguns momentos:

— Imaginemos um pêssego amadurecido, lançado à cova escura a fim de renascer. Decomposto em sua estrutura, restituirá aos reservatórios da Natureza todos os elementos da polpa e dos demais envoltórios que lhe revestem os princípios vitais, reduzindo-se no imo do solo ao embrião minúsculo que se transformará, no espaço e no tempo, em novo pessegueiro.

O ensinamento não podia ser mais lógico, mais preciso.

— Então, por isso — acrescentou Hilário, estudioso — é que as crianças desencarnadas reclamam período de tempo mais ou menos longo para demonstrarem crescimento mental, como ocorre na existência comum...

— Isso acontece com a maioria — informou o ministro —, uma vez que há exceções na regra. Em muitas circunstâncias, semelhante imposição não existe. Quando a mente já desenvolveu certas qualidades, aprimorando-se em mais altos degraus de sublimação espiritual, pode arrojar de si mesma os elementos indispensáveis à composição dos veículos de exteriorização de que necessite em planos que lhe sejam inferiores. Nesses casos, o Espírito já domina plenamente as leis de aglutinação da matéria, no campo de luta que nos é conhecido e, por esse motivo, governa o fenômeno da própria reencarnação sem subordinar-se a ele.

Fitávamos o semblante calmo de Zulmira, que respirava serena, feliz.

— O problema de Júlio, no entanto — considerei —, afigura-se-nos bastante doloroso...

— Doloroso, mas educativo, quanto o de milhares de criaturas, cada dia, na Terra — ponderou Clarêncio, imperturbável. — Nosso companheiro vencido e enfermo, em razão de compromissos adquiridos na carne, na carne encontrará caminho ao próprio reajuste.

— E a questão da hereditariedade? — indagou meu companheiro, reverente. — Júlio, perdendo o corpo sutil em que chorava atormentado, ressurgirá na existência física sem a moléstia que o apoquentava, por herdar fatalmente os característicos biológicos dos pais?

O orientador sorriu de maneira expressiva e asseverou:

— A hereditariedade, qual é aceita nos conhecimentos científicos do mundo, tem os seus limites. Filhos e pais, indubitavelmente, ainda mesmo quando se cataloguem distantes uns dos outros, sob o ponto de vista moral, guardam sempre afinidade magnética entre si; desse modo, os progenitores fornecem determinados recursos ao Espírito reencarnante, mas esses recursos estão condicionados às necessidades da alma que lhes aproveita a cooperação, porque, no fundo, somos herdeiros de nós mesmos. Assimilamos as energias de nossos pais terrestres, na medida de nossas qualidades boas ou más, para o destino enobrecido ou torturado a que fazemos jus, pelas nossas conquistas ou débitos que voltam à Terra conosco, emergindo de nossas anteriores experiências.

— Somos então levados a crer que Júlio transportará consigo a enfermidade que sofria em nosso plano, à maneira de alguém que, mudando-se de domicílio, não modifica o quadro orgânico... — observou Hilário, com sensatez.

— Isso mesmo — elucidou o ministro, satisfeito —, o problema é de natureza espiritual. Durante a gravidez de Zulmira, a mente de Júlio permanecerá associada à mente materna, influenciando, como é justo, a formação do embrião. Todo o cosmo celular do novo organismo estará impregnado pelas forças do pensamento enfermiço de nosso irmão que regressa ao mundo. Assim sendo, Júlio renascerá com as deficiências de que ainda é portador, embora favorecido pelo material genético que recolherá dos pais, nos limites da lei de herança, para a constituição do novo envoltório.

Depois de breve pausa, concluiu:

— Como vemos, na mente reside o comando. A consciência traça o destino, o corpo reflete a alma. Toda agregação de matéria obedece a impulsos do espírito. Nossos pensamentos fabricam as formas de que nos utilizamos na vida.

Calou-se o instrutor.

Odila tomou a palavra, comentando as suas esperanças para o futuro.

Conversamos de novo, animadamente.

E, logo após, uma prece do ministro encerrava para nós a deliciosa reunião.

30
Luta por renascer

1   Um mês correra célere sobre os acontecimentos que vimos de narrar, quando Odila nos procurou, suplicando ajuda.

Vinha triste, atormentada.

Zulmira, incompreensivelmente para ela, havia contraído perigosa amigdalite.

Sofria muito.

Por seis dias consecutivos, informou nossa amiga inquieta, achava-se no trabalho de vigilância.

Esforçara-se, quanto lhe era possível, por liberá-la de semelhante aborrecimento físico; entretanto, via baldadas todas as providências.

Desolada, induzira Amaro a trazer um médico, no que foi obedecida, mas o facultativo não atinava com a causa íntima da enfermidade e, ignorando a verdadeira posição da cliente, poderia ameaçar-lhe a tarefa maternal com a aplicação de recursos impróprios.

Rogava-nos, por isso, socorro imediato.

Clarêncio não se delongou na assistência precisa.

Era noite, quando demandamos o ninho doméstico que já se nos fizera familiar.

Zulmira, no leito, demorava-se em aflitiva prostração. Cabelos em desalinho, olheiras arroxeadas e faces rubras de febre, parecia aguardar a chegada de alguém que a auxiliasse na eliminação da crise.

A supuração das amígdalas poluíra-lhe o hálito e lhe impunha dores lancinantes.

A pobre senhora apenas gemia, semissufocada, exausta...

O esposo e a filha desdobravam-se em carinho, procurando reanimá-la, mas Zulmira, que deixáramos, trinta dias antes, corada e bem-disposta, revelava-se agora profundamente abatida.

Drogas variadas alinhavam-se em prateleira próxima.

Nosso instrutor examinou-as cuidadosamente, e, percebendo-nos a admiração, disse comovido:

— Zulmira reclama nosso concurso diligente. Precisamos garantir-lhe o êxito na missão esposada.

Carinhosamente, aplicou-lhe recursos magnéticos, detendo-se de modo particular na região do cérebro e na fenda glótica.

A doente acusou melhoras imediatas.

Reabilitou-se o movimento circulatório.

A febre decresceu, propiciando-lhe repouso, e o sono reparador surgiu por fim, favorecendo-lhe a recuperação.

Hilário indagou sobre a causa da moléstia insidiosa, que tão violenta se apresentara, ao que Clarêncio respondeu seguro:

— A questão é sutil. A mulher grávida, além da prestação de serviço orgânico à entidade que se reencarna, é igualmente constrangida a suportar-lhe o contato espiritual, que sempre constitui um sacrifício quando se trata de alguém com escuros débitos de consciência. A organização feminina, durante a gestação, sofre verdadeira enxertia mental. Os pensamentos do ser que se acolhe ao santuário íntimo envolvem-na totalmente, determinando significativas alterações em seu cosmo biológico. Se o filho é senhor de larga evolução e dono de elogiáveis qualidades morais, consegue auxiliar o campo materno, prodigalizando-lhe sublimadas emoções e convertendo a maternidade, habitualmente dolorosa, em estação de esperanças e alegrias intraduzíveis, mas no processo de Júlio observamos duas almas que se ajustam nas mesmas dívidas e na mesma posição evolutiva. Influenciam-se mutuamente.

.3   O ministro fez longa pausa, tornando aos passes em benefício da enferma.

Odila acompanhava-o atenciosa.

De todos nós, parecia ela a mais preocupada com as lições ouvidas. Identificava-se-lhe o interesse de tudo aprender para tornar-se ali mais útil.

Findos alguns instantes, Clarêncio continuou:

— Se Zulmira atua, de maneira decisiva, na formação do novo veículo do menino, o menino atua vigorosamente nela, estabelecendo fenômenos perturbadores em sua constituição de mulher. A permuta de impressões entre ambos é inevitável, e os padecimentos que Júlio trazia na garganta foram impressos na mente maternal, que os reproduz no corpo em que se manifesta. A corrente de troca entre mãe e filho não se circunscreve à alimentação de natureza material; estende-se ao intercâmbio constante das sensações diversas. Os pensamentos de Zulmira guardam imensa força sobre Júlio, tanto quanto os de Júlio revelam expressivo poder sobre a nova mãezinha. As mentes de um e de outro como que se justapõem, mantendo-se em permanente comunhão, até que a Natureza complete o serviço que lhe cabe no tempo. De semelhante associação, procedem os chamados "sinais de nascença". Certos estados íntimos da mulher alcançam, de algum modo, o princípio fetal, marcando-o para a existência inteira. É que o trabalho da maternidade assemelha-se a delicado processo de modelagem, requisitando, por isso, muita cautela e harmonia para que a tarefa seja perfeita.

Em seguida, o ministro, com devoção paternal, levou a efeito diversas operações magnéticas de auxílio à cavidade pélvica, afirmando a necessidade de socorro ao útero, em vista do complicado e difícil desenvolvimento de Júlio reencarnante.

Meu colega, avançando mais longe, talvez tentando converter aquela hora de fraternidade tanto quanto possível em hora de estudo, recordou algumas de suas experiências médicas, acrescentando:

— É comum a verificação de exagerada sensibilidade na mulher que engravida. A transformação do sistema nervoso, nessas circunstâncias, é indiscutível. Muitas vezes, a gestante revela decréscimo de vivacidade mental e, não raro, enuncia propósitos da mais rematada extravagância. Há mulheres que adquirem antipatias súbitas, outras se recolhem a fantasias tão inesperadas quanto injustificáveis. Em muitas ocasiões na Terra, perguntei a mim mesmo se a gravidez, na maioria dos casos, não acarreta temporária loucura...

O orientador sorriu e obtemperou:

— A explicação é muito clara. A gestante é uma criatura hipnotizada a longo prazo. Tem o campo psíquico invadido pelas impressões e vibrações do Espírito que lhe ocupa as possibilidades para o serviço de reincorporação no mundo. Quando o futuro filho não se encontra suficientemente equilibrado diante da Lei, e isso acontece quase sempre, a mente maternal é suscetível de registrar os mais estranhos desequilíbrios, porque, à maneira de um médium, estará transmitindo opiniões e sensações da entidade que a empolga.

— Afligia-me observar — lembrou Hilário, com interesse — a inopinada aversão de muitas gestantes pelos próprios maridos...

— Sim, isso ocorre sempre que um inimigo do pretérito volta à carne, a fim de resgatar débitos contraídos para com aquele que lhe servirá de pai.

— Temos, contudo, os casos — ponderei curioso — em que na ribalta do mundo vemos filhas que foram evidentemente fortes desafetos das mães em passado remoto ou próximo, tal a animosidade que lhes caracteriza as relações. Reparamos que, em tais ocorrências, as filhas são muito mais afins com os pais, vivendo psiquicamente em harmoniosa associação com eles e distanciadas espiritualmente das mãezinhas que, por vezes, tudo fazem debalde para quebrar as barreiras de separação. Em ligações dessa natureza, surgirão obstáculos à reencarnação?

Clarêncio fitou-me de maneira significativa e respondeu:

— De modo algum. A esposa, por devotamento ao companheiro, cede facilmente à necessidade da alma que volta ao reduto doméstico para fins regeneradores e, tratando-se de alguém com intensa afinidade junto ao chefe do lar, vê-se o marido docemente impulsionado a oferecer maior coeficiente afetivo à companheira, uma vez que se sente envolvido por forças duplas de atração. Sob dobrada carga de simpatia, dá muito mais de si mesmo em atenção e carinho, facilitando a tarefa maternal da mulher.

A elucidação clara e lógica satisfez-nos plenamente.

Palestramos ainda por alguns minutos, nos quais o nosso orientador ministrou variadas instruções a Odila, habilitando-a para socorros de emergência.

Regressamos, edificados, ao nosso círculo de trabalho comum; no entanto, depois de alguns dias, a primeira esposa do ferroviário tornou até nós, solicitando nova intervenção.

Zulmira, informou aflita, atravessava estarrecedora crise orgânica.

Vômitos incoercíveis perturbavam-na cruelmente.

Não tolerava a mais leve alimentação.

O sistema digestivo apresentava alterações profundas.

O médico agia baldadamente, visto que o estômago da enferma zombava de todos os recursos.

Não nos delongamos para a execução do trabalho assistencial.

Revelava-se a gestante, efetivamente, em condições ameaçadoras.

As náuseas repetidas provocavam a gradativa incursão da anemia.

Clarêncio, porém, submeteu-a a passes magnéticos de longo curso, prometendo que a medida se faria seguir das melhoras necessárias.

Deveres diversos convocavam-nos a presença, em outros setores.

Ainda assim, depois das despedidas, Hilário perguntou pelo motivo de semelhante fenômeno, que, declarou ele, em toda a sua experiência médica na Terra não conseguira explicar.

— Estamos certos de que a ciência do porvir ajudará a mulher na defesa contra essa espécie de aborrecimento orgânico — asseverou o ministro, com segurança —, encontrando definições de ordem fisiológica para tais conflitos, mas, no fundo, o desequilíbrio é de essência espiritual. O organismo materno, absorvendo as emanações da entidade reencarnante, funciona como um exaustor de fluidos em desintegração, fluidos esses que nem sempre são aprazíveis ou facilmente suportáveis pela sensibilidade feminina. Daí, a razão dos engulhos frequentes, de tratamento até agora muito difícil.

Semelhante nota oferecia-nos valioso material de meditação.

O tempo desdobrou-se semana após semana.

Insistimos na visitação à residência de Amaro, de quando em quando, convocados ou não para o trabalho, até que, certa manhã, Odila veio até nós com o júbilo de uma criança feliz, anunciando que o menino tornara à luz terrestre.

De conformidade com a aprovação da pequena família, chamar-se-ia novamente Júlio.

Comungamos da sua profunda alegria e, com a solidariedade dos amigos sinceros, voltamos a abraçá-lo.

31
Nova luta

1   O pequeno Júlio desenvolvia-se como flor de esperança no jardim do lar; todavia, sempre mirrado, enfermiço.

Desvelavam-se os pais por assisti-lo convenientemente; contudo, por mais adequados se categorizassem os tratamentos recalcificantes, trazia doloroso estigma na garganta.

Extensa ferida na glote dificultava-lhe a nutrição.

Farinhas suculentas concorriam com o leite materno para robustecê-lo, mas em vão.

Entretanto, apesar dos cuidados que exigia, era uma bênção de felicidade para os genitores e para a irmãzinha, que sentiam em seu rostinho tenro um ponto vivo de entrelaçamento espiritual.

Muitas vezes, conchegamo-lo ao coração, rememorando os trabalhos que lhe haviam precedido o regresso ao mundo, assinalando a ternura otimista com que Odila, transformada em generosa protetora da família, lhe acompanhava o desabrochar.

O pequerrucho já começava a falar por monossílabos, em vésperas do primeiro ano de renascimento, quando nova luta surgiu.

O inverno chegara rigoroso, e vasto surto de gripe espalhara-se ameaçador.

A tosse e a *influenza* compareciam pertinazes, em todos os recantos, quando, num dia de grande trabalho para nós, eis que a genitora de Evelina veio, novamente, ao nosso encontro.

Dantes, procurava assistência para Zulmira, agora demandava auxílio para Júlio.

O menino, assaltado por teimosa amigdalite, jazia prostrado, febril.

Dirigimo-nos incontinente para o lar do ferroviário.

Com efeito, o vento soprava úmido sobre o largo espelho da Guanabara. As ruas, pela vestimenta pesada dos transeuntes, davam ao Rio o aspecto de uma cidade fria.

Alcançamos, sem detença, o domicílio de Amaro.

O quadro, à nossa vista, era indubitavelmente constrangedor.

Penetramos o aposento em que a criança gemia semiasfixiada, no instante preciso em que o médico da família efetuava meticuloso exame.

Clarêncio passou a reparar-lhe todos os movimentos.

A garganta minúscula apresentava extensa placa branquicenta e a respiração se fazia angustiada, sibilante.

O instrutor meneou a cabeça, como se fora defrontado por insolúvel enigma, e colocou a destra na fronte do facultativo, compelindo-o a refletir com a maior atenção.

Zulmira e Evelina, sem perceber-nos a presença, fitavam o médico, preocupadas.

Após longo silêncio, o clínico voltou-se para a dona da casa, afirmando:

— Creio devamos procurar um colega imediatamente. Enquanto a senhora telefona para o marido, chamando-o da oficina, trago comigo um pediatra.

A torturada mãezinha conteve a custo as lágrimas que lhe borbulhavam dos olhos.

O médico tornou, cismarento, à via pública, e, enquanto Evelina, rápida, correu até o armazém próximo para dar ciência ao genitor de quanto ocorria, Zulmira, presumindo-se a sós, abraçou-se ao doentinho e, chorando livremente, ciciou:

— Ó meu Deus, com tanto amor recebi o filho que me enviaste!... Não me deixes agora sem ele, Senhor!...

O pranto que lhe corria na face queimava-me o coração.

Nada pude indagar, em vista da emotividade que me tomara o espírito, mas o nosso orientador, sereno como sempre, exclamou compadecido:

— A difteria está perfeitamente caracterizada. A deficiência congenial da glote favoreceu a implantação dos bacilos. É imprescindível o socorro urgente.

O instrutor começou a mobilizar recursos assistenciais de maior expressão, quando o ferroviário, desolado, ingressou no aposento.

Conversando com a mulher, tentava reanimá-la, quando o pediatra, conduzido pelo colega, deu entrada na humilde residência.

Ambos os médicos submeteram o petiz a prolongado exame, permutando impressões em voz baixa.

O especialista, apreensivo, após manifestar a suspeita de crupe,[12] reclamou a análise de laboratório, decidindo transportar consigo mesmo o material necessário à inspeção.

Ao sair, prometeu opinar, dentro de algumas horas. Notificou ao pai agoniado que tudo lhe fazia crer tratar-se de garrotilho.[13] Entretanto, reservava o diagnóstico definitivo para depois. Se a hipótese se confirmasse, enviaria um enfermeiro de confiança para a aplicação do soro adequado.

---

[12] N.E.: Obstrução aguda da laringe causada por infecção, alergia, corpo estranho ou tumor, que provoca tosse, rouquidão e pode levar à asfixia.

[13] N.E.: O mesmo que crupe.

Mantendo vigilância junto ao doentinho, o ministro recomendou-nos, a Hilário e a mim, acompanhar o pediatra, de modo a prestar-lhe a colaboração possível ao nosso alcance.

Seguimo-lo sem hesitar.

O crepúsculo, encharcado de uma garoa fina, caía rápido.

Em minutos breves, atravessávamos o pórtico de vasto hospital, onde o nosso amigo procurou a sala em que certamente se recolhia para os trabalhos que lhe diziam respeito.

Chegados a estreito recinto, fomos defrontados por uma surpresa que nos impunha verdadeira estupefação.

Mário Silva, em seu traje branco, palestrava com dona Antonina, que acomodava ao colo a pequena Lisbela, pálida e ofegante.

A jovem senhora, que não mais víramos, aguardava o especialista, trazendo a filhinha à consulta.

Amparadas por Silva, francamente atraído para a simpática visitante, ambas tiveram acesso a gabinete particular, onde o facultativo diagnosticou uma pneumonia.

Antonina foi aconselhada a voltar, de imediato, ao ambiente doméstico, para a medicação da filha.

A penicilina devia ser administrada sem qualquer dilação.

Mário, demonstrando imenso carinho pela criança, prontificou-se a assisti-la.

Traria um automóvel e atenderia ao caso pessoalmente.

O chefe passeou o olhar pelo mostrador do relógio e aquiesceu, ressalvando:

— Bem, você pode cooperar com as nossas clientes, mas preciso de seu concurso em bairro distante, às 22 horas.

O rapaz assumiu o compromisso de regressar a tempo, e um táxi recolheu o trio, rolando na direção da casinha que visitáramos certa vez.

Ante o inesperado daquele encontro, sentimos necessidade de um entendimento seguro com o nosso orientador.

Tornando ao quarto, onde o pequeno Júlio piorava sempre, fizemos breve relato do acontecido.

Clarêncio escutou com interesse e ponderou preocupado:

— Não podemos perder tempo. Dirijamo-nos à casa de Antonina. A lei está reaproximando os nossos amigos uns dos outros e Mário precisa fortalecer-se para exercitar o perdão. Os raios de ódio da parte dele podem apressar aqui o serviço inevitável da morte.

Corremos ao domicílio da valorosa mulher.

Com efeito, depois de haver iniciado o tratamento providencial da menina, agora acamada, Silva fixava a dona da casa, perguntando a si mesmo onde vira aquele torturado perfil de madona... Guardava a nítida impressão de haver conhecido Antonina em algum lugar...

Agradavelmente surpreendido, sentia-se ali como se fora em sua própria casa.

E a simpatia não se patenteava tão somente no coração dele. A senhora e os filhos cercavam-no de atenções.

Intimamente deslumbrado, o enfermeiro declarava de viva voz estar experimentando uma paz que há muito não conhecia, com o que Antonina se regozijava, sorrindo.

Percebendo que Haroldo e Henrique se mostravam apaixonados pelas disputas esportivas, deu curso a animada conversação a respeito do futebol, conquistando-lhes o carinho.

A mãezinha, preparando o café, ingressava no alegre entendimento, de quando em quando, a fim de podar o entusiasmo dos meninos, quando a palavra deles se evidenciava menos construtiva.

Somente no decurso da afetuosa palestra, viemos a saber que nossa amiga se enviuvara. O esposo, segundo notícias recebidas de metrópole distante, havia falecido num desastre, vitimado pela própria imprudência.

. Lemos no olhar de Silva o contentamento com que obtinha semelhante informe.

31.

Começava a registrar insopitável interesse pela vida naquele ninho agasalhante que se lhe afigurava pertencer-lhe.

Às oito em ponto, Antonina, sem afetação, convidou com simplicidade:

— Sr. Mário, hoje temos nosso culto evangélico. Quer ter a bondade de partilhá-lo?

Incompreensivelmente feliz, o rapaz concordou, de pronto.

A reunião, nessa noite, foi efetuada ao redor do leito de Lisbela, que não desejava perder o benefício das orações.

Um copo de água pura foi colocado junto à cabeceira da pequenina.

E, de Novo Testamento em punho, acomodados os companheiros, Antonina recomendou a Henrique fizesse a rogativa inicial.

O menino recitou o Pai-nosso e, em seguida, pediu a Jesus a saúde da irmãzinha doente, com enternecedora súplica.

Vimos o nosso orientador acercar-se do recipiente de água cristalina, magnetizando-a, em favor da enferma que parecia expressivamente confortada ante a oração ouvida, e, logo após, abeirar-se de Silva, que lhe recebeu as irradiações.

— Quem abrirá hoje o Livro? — perguntou Haroldo, com graciosa malícia, fitando o hóspede inesperado.

— Certamente nosso amigo nos fará essa honra — disse a genitora, indicando o enfermeiro.

Mário, ignorando como expressar a felicidade que lhe fluía do coração, acolheu o pequeno volume, sob a atenção de Clarêncio, que lhe tocava o busto e as mãos, influenciando-o para a descoberta do texto adequado.

O moço, algo trêmulo na participação de um serviço espiritual inteiramente novo para ele, sem perceber o amparo que o envolvia, abriu em determinada passagem, qual se agisse a esmo, passando o livro a Antonina, que leu em voz pausada o versículo 25 do capítulo 5 das anotações do apóstolo Mateus:

— Concilia-te depressa com o teu adversário, enquanto te encontras a caminho com ele, para que não aconteça que o adversário te entregue ao juiz e o juiz te entregue ao oficial para que sejas encerrado na prisão.

A dirigente do culto, que, naquela noite, se revelava mais retraída, pediu a interpretação dos meninos que, de modo ingênuo, se reportaram às experiências da escola, afirmando que sempre adquiriam a paz, buscando desculpar as faltas dos companheiros. Haroldo asseverava que a professora sempre sorria contente, quando lhe via a boa vontade, e Henrique salientou haver aprendido no culto do lar que era muito mais agradável o esforço de viver em harmonia com todos.

A palestra parecia ameaçada de esmorecimento, mas o nosso orientador aproximou-se de Antonina e, impondo-lhe a destra sobre a fronte, como que a impelia ao comentário justo.

— Haroldo — indagou a genitora, de olhos brilhantes —, como devemos interpretar um inimigo em nossa vida?

O menino replicou, sem pestanejar:

— Mãezinha, a senhora nos ensinou que conservar um inimigo em nosso caminho é o mesmo que manter uma ferida perigosa em nosso corpo.

— A definição foi bem lembrada — falou a viúva com espontaneidade encantadora —; sem a compreensão fraterna que nos garante o culto da gentileza, sem o perdão que olvida todo mal, a existência na Terra seria uma aventura intolerável. Além disso, quando Jesus nos ditou a lição que recordamos hoje, indubitavelmente considerava que a razão nunca vive inteira ao nosso lado. Se fomos ofendidos, em verdade também ofendemos por nossa vez. Precisamos desculpar os outros para que os outros nos desculpem. Quando abraçamos o ideal do bem, compete-nos tentar, por todos os meios ao nosso alcance, a justa conciliação com todos os que se encontrem conosco em desarmonia, prestando-lhes serviço para que renovem a conceituação a nosso respeito. Mais vale para nós o acordo pacífico que a demanda mais preciosa, porque a vida não termina neste mundo e é possível que, buscando a justiça em nosso favor, estejamos cristalizando a cegueira do egoísmo em nosso próprio coração, caminhando para a morte com aflitivos problemas. Coração que conserva rancor é coração doente. Alimentar ódio ou despeito é estender inomináveis padecimentos morais no próprio espírito.

Silva estava pálido.

Aquelas conclusões feriam-lhe, fundo, o modo de ser.

Tão desajustado se revelou escutando aqueles apontamentos que Antonina, registrando-lhe a estranheza, ponderou, sorrindo:

— O senhor decerto nunca teve inimigos... Um enfermeiro diligente será, sem qualquer dúvida, o irmão de todos...

— Sim... sim, não tenho adversários... — gaguejou o moço, constrangido.

Mas, na tela mental, sem que ele pudesse controlar a eclosão das próprias reminiscências, apareceram Amaro e Zulmira, como os desafetos que ele, no âmago do espírito, não conseguia desculpar.

Odiava-os, sim, odiava-os — pensou de si para consigo —, jamais suportaria um acordo com semelhantes adversários. Entretanto, a sinceridade da interlocutora encantava-o. Aquela viúva jovem, cercada de três filhinhos, superando talvez obstáculos dos mais inquietantes para viver, constituía um exemplo de quanto podia edificar o espírito de sacrifício. Em nenhum ambiente encontrara antes aquele calor de fé pura necessário às grandes construções de ordem moral. Além de tudo, laços de vigorosa afinidade impeliam-no para aquela mulher, com quem se simpatizara à primeira vista. Por mais vasculhasse as próprias lembranças, não conseguia recordar onde, como e quando a conhecera. Sentia, porém, que a palavra dela lhe impunha indefinível bem-estar...

Fitando-a com enternecimento, perguntou:

— A senhora julga que devemos procurar a conciliação com qualquer espécie de inimigos?

— Sim — respondeu a interpelada sem hesitar.

— E quando os adversários são de tal modo inconvenientes que a simples aproximação deles nos causa angústia?

Antonina compreendeu que algo doloroso vinha à tona daquela consciência que lhe ouvira a dissertação, ocultando-se, e obtemperou:

— Entendo que há sofrimentos morais quase intoleráveis; entretanto, a oração é o remédio eficaz de nossas moléstias íntimas. Se temos a infelicidade de possuir inimigos, cuja presença nos perturba, é importante recorrer à prece, rogando a Deus nos conceda forças para que o desequilíbrio desapareça, porque então um caminho de reajuste surgirá para nossa alma. Todos necessitamos da alheia tolerância em determinados aspectos de nossa vida.

Os olhos de Mário cintilaram.

— E quando o ódio nos avassala, ainda mesmo quando não desejemos? — inquiriu, preocupado.

— Não há ódio que resista aos dissolventes da compreensão e da boa vontade. Quem procura conhecer a si mesmo desculpa facilmente...

Silva empalidecera.

Antonina percebeu que o tema lhe fustigava o coração e, amparada por nosso instrutor que a enlaçava, paternal, rematou considerando:

— Um homem, porém, na sua tarefa, é um missionário do amor fraterno. Quem socorre os doentes penetra a natureza humana e entra na posse da grande compaixão. As mãos que curam não podem odiar...

Em seguida, o primogênito da casa fez a prece de encerramento.

A viúva serviu o café reconfortante, acompanhado de um bolo humilde.

A conversação prosseguia animada; todavia, o hóspede consultou o relógio e reparou que o tempo lhe exigia a retirada.

Deu instruções a Antonina, quanto à medicação da doentinha, e pediu, respeitoso, para voltar no dia imediato, não somente para rever Lisbela, mas também para palestrar com os amigos.

A senhora e as crianças aquiesceram, felizes, afirmando-lhe que seria sempre bem-vindo, e Mário, com um sentimento novo a lhe brilhar nos olhos, seguiu dentro da noite, como quem caminhava tangido por abençoada esperança, ao encontro de novo destino.

32
Recapitulação

1   De volta ao hospital, o enfermeiro não encontrou pessoalmente o chefe, que se ausentara, constrangido por serviço urgente, mas recebeu das mãos de velha auxiliar a papeleta de instruções.

O rapaz leu a ficha atenciosamente.

Um menino, perfeitamente caracterizado nas indicações, atacado de crupe, exigia socorro imediato.

De posse do endereço e munindo-se do material imprescindível ao tratamento, Silva rodou num ônibus para a casa de Amaro.

Acolhido cortesmente pelo dono da casa, não ocultou a perplexidade que o possuiu, de assalto.

Identificado pelo ferroviário que lhe exprimia gentileza e contentamento na saudação, tartamudeava alguns monossílabos, desapontado, espantadiço...

Revelava-se-lhe a decepção na extrema palidez do rosto.

Então — refletia, acabrunhado — era aquela casa que lhe cabia atender? Se soubesse de antemão, teria solicitado um substituto. Não pretendia reaproximar-se dos desafetos dos quais se havia distanciado... Abominava o homem que lhe furtara a noiva e não podia lembrar-se de Zulmira sem observar-se tocado de insólita aversão... Muita vez, rememorando o passado, calculava quanto ao melhor meio de aniquilar-lhe a existência... Por que lhe competia revê-la? Por que salvar-lhe o filho, se experimentava ímpetos de incendiar-lhe a casa?

Entretanto, algo interferia em suas reflexões. Antonina e os filhinhos, no culto do Evangelho, tomavam-lhe a tela mental. Parecia-lhe ouvir, de novo, a palavra meiga e sincera daquela mulher valorosa, repetindo-lhe ao coração:

"As mãos que curam não podem odiar..."

"Um enfermeiro diligente será, sem dúvida, o irmão de todos..."

"A vida não termina neste mundo..."

"Precisamos desculpar os outros para que os outros nos desculpem..."

Notando-lhe a hesitação e propondo-se colocá-lo à vontade, Amaro solicitou em voz súplice:

— Entre, Mário! Conforta-me reconhecer que receberemos o concurso de um amigo...

E, indicando o quarto próximo, acrescentou:

— Zulmira está lá dentro com o nosso filhinho. Já me entendi com o médico pelo telefone e sei que o crupe foi positivado.

O enfermeiro, impassível, obedeceu maquinalmente.

Varou a câmara, perturbado, lívido.

Quando viu a mulher que amara apaixonadamente, trazendo o pequenino ao colo, registrou súbita vertigem de revolta.

Incapaz de controlar-se, sentiu que estranha aflição lhe oprimia o peito.

A volúpia da vingança enceguecia-o...

Zulmira pagar-lhe-ia caro a deserção — pensava de olhos fixos na maternidade dolorosa que ali se exteriorizava em mortificante padecimento.

Contemplou a criancinha que a dispneia agitava e deu curso a incontida animosidade. Tinha a impressão de odiá-la, de longa data. Ele próprio se surpreendia, sobressaltado... Como podia detestar, assim, um inocente com tanta veemência? Mas, acreditando justificar a terrível disposição de espírito com a circunstância de achar-se, ali, o fruto de uma ligação que lhe era insuportável, não procurou analisar-se. A ideia de que Amaro e a esposa sofreriam irreparavelmente com a morte do petiz acalentou-lhe o duro propósito de desforço. A felicidade daquele templo doméstico dependia, naquela hora, de sua atuação. E se cooperasse com a morte, auxiliando aquele rebento enfermiço a desaparecer? A pergunta criminosa traspassou-lhe o pensamento como um estilete de treva.

Contudo, a lembrança do culto de oração, no lar de Antonina, voltava-lhe à cabeça.

As consoladoras afirmações da mãezinha de Lisbela regressavam-lhe aos ouvidos:

"Vale sempre mais o acordo pacífico..."

"Não devemos nutrir qualquer espécie de aversão..."

"Quem ajuda é ajudado..."

"Ninguém se eleva aos mais altos níveis da vida com o endurecimento espiritual..."

"Nunca sabemos realmente até que ponto somos ofendidos ou ofensores..."

"O perdão é vitória da luz..."

Os retalhos da palestra edificante afiguravam-se-lhe rédeas intangíveis a lhe sofrearem a expansão dos malignos desejos.

Os conflitos sentimentais desenrolavam-se-lhe na consciência em breve minuto...

Quase cambaleante, acercou-se da ex-noiva torturada, que o reconheceu de pronto, tentando cumprimentá-lo.

Correspondeu à saudação, cerimonioso, dispondo-se ao serviço.

— Mário — implorou a pobre senhora, agoniada —, compadeça-se de nós! Ajude-nos! Esperei meu filhinho, suportando os maiores sacrifícios... Será crível deva agora vê-lo morrer?

Lágrimas copiosas seguiam-lhe os soluços que lhe emudeceram a garganta.

Noutro tempo, qualquer pedido daquela boca lhe impunha inquietação, mas naquele instante soberana indiferença enrijecia-lhe o espírito. Que lhe importava a dor da mulher que o abandonara? Zulmira rira-se dele, anos antes... não lhe cabia rir-se agora?

De semblante rude, recomendou fosse a criança restituída ao leito e, logo após, tateou-lhe a sensibilidade.

De pensamento martelado pelas ideias recolhidas no estudo evangélico da noite e contido pela suave lembrança de Antonina, buscava refazer-se.

Ainda assim, como se carregasse um gênio infernal na própria mente, assinalou as criminosas sugestões que lhe atravessavam o cérebro esfogueado.

A ministração de medicamento impróprio, decerto, favoreceria a rápida extinção do enfermo. Júlio encontrava-se à beira da sepultura... apenas o impeliria a precipitar-se nela sem mais delonga...

Todavia, o semblante de Antonina dominava-lhe a memória, exaltando o perdão.

Se viesse àquela casa na véspera — considerou consigo mesmo —, teria exterminado o petiz sem piedade... Recorreria à eutanásia para justificar-se intimamente.

Naquela hora, porém, os princípios evangélicos da fraternidade e da conciliação, como pensamentos intrusos, atenazavam-lhe a consciência.

Esperou, silencioso, a reação do menino ofegante e, embora assinalasse graves complicações que, certo, deveriam induzi-lo a comunicar-se com o médico responsável, fez a aplicação do soro antidiftérico, desejoso, porém, de vê-lo transformar-se em veneno destruidor.

Reparamos que as mãos de Mário expeliam escura substância, mas Clarêncio, pousando a destra sobre o pequenino, mantinha-o isolado de semelhantes forças.

Ante o assombro com que observávamos a exteriorização daquele visco enegrecido, nosso instrutor elucidou de boa vontade:

— São fluidos deletérios do ódio com que Silva, inconscientemente, procura envolver a infeliz criança; contudo, as nossas defesas estão funcionando.

Odila, que chamara Blandina e Mariana até nós, acompanhava a medicação ansiosamente.

— Abnegado amigo — dirigiu-se, inquieta, ao nosso orientador —, acredita que Júlio possa recuperar-se?

Clarêncio, que estabelecera extensa faixa magnética em torno do doentinho, preservando-o contra a influência do visitante, meneou a cabeça e falou paternal:

— Odila, é tempo de penetrares a verdade. O menino deixará o corpo talvez em breves horas. O futuro dele exige a frustração do presente. Fortalece-te, contudo... A vontade divina, expressa na Lei que nos rege, faz sempre o melhor.

E talvez porque nossa irmã decepcionada ensaiasse nova perquirição, o devotado condutor pediu-lhe calmo:

— Não indagues agora. Saberás mais tarde. Júlio reclama assistência, vigilância, carinho.

A interlocutora recompôs a expressão fisionômica, denunciando humildade e disciplina.

O enfermeiro fitava o pequeno, qual se estivesse a hipnotizá-lo para a morte, observando-lhe as contrações faciais.

Os genitores fixavam igualmente a criança, em tremenda expectativa.

Em dado instante, Júlio estremeceu, empalidecendo.

Descontrolara-se-lhe o coração.

Examinando-lhe o pulso, Silva, agora aterrado, procurou os olhos de Amaro, aflito, e solicitou em voz menos dura:

— Convém a presença imediata do nosso facultativo. Receio um choque anafilático de consequências fatais.

Zulmira deixou escapar um grito rouco, sendo socorrida pela carinhosa Evelina, enquanto o ferroviário se despejou porta afora, em busca do pediatra.

Minutos longos de espera foram vividos no quarto estreito.

Uma hora escoou, vagarosa e terrível...

Preocupado, o médico auscultou a criança e, logo após, convidou o pai desolado a entendimento mais íntimo, anunciando:

— Surgiu o colapso irremediável. Infelizmente é o fim. Se o senhor tem fé religiosa, confiemos o caso a Deus. Agora, somente a concessão divina...

Amaro, consternado, baixou a cabeça e nada respondeu.

O pediatra trocou ideias com Silva, que se fizera muito pálido, e deu-lhe instruções, recomendando-lhe, ao despedir-se, permanecesse com o pequenino por mais algumas horas.

Um sedativo administrado em Zulmira compeliu-a ao repouso.

Júlio, em coma, respirava dificilmente.

Enquanto isso, a noite avançava... A madrugada, agora lavada pelo vento leve, permitia ver o céu povoado de cintilantes constelações.

Reparando que a mulher e a filha descansavam, Amaro encaminhou-se para a janela próxima, como quem procurava consolo no seio agasalhante da noite, e começou a chorar em silêncio.

2.7   Ao lado da criancinha agonizante, o enfermeiro observava-lhe a atitude sofredora e humilde, reconhecendo-se tocado no imo da alma.

Por que lutara contra semelhante inimigo? — pensava, ensimesmado. — Amaro assemelhava-se a uma estátua de martírio silencioso. Estava ali, cabisbaixo e vencido, no lar modesto em que era um homem de bem, devotado à retidão. Decerto, já havia amargado muito. O rosto, sulcado de rugas precoces, que lhe detinham o pranto, falava da cruz de experiências difíceis que lhe pesava nos ombros. Quantos problemas inquietantes teria defrontado no mundo aquele homem dobrado pelo rigor da sorte? Como pudera ele, Mário Silva, ser ali tão cruel? Rememorou as passagens da hora de estudo e prece, entendendo, enfim, que o Evangelho estribava-se nas melhores razões. Mais valia conciliar-se depressa com o adversário que enterrar um espinho de remorso no próprio peito, e ele notava, triste, que o remorso como lâmina acerada lhe retalhava o coração... Amaro e a esposa, indiscutivelmente, poderiam ter manifestado desconfiança ao revê-lo, recusando-lhe o concurso; entretanto, acolheram-no, fraternalmente, de braços abertos... Se o haviam ferido, noutro tempo, não se achavam agora sob o guante de terrível flagelação? Rendia graças a Deus por não haver injetado substâncias tóxicas no doentinho agora moribundo, mas não teria, acaso, concorrido para abreviar-lhe a morte? Experimentava o desejo de abeirar-se do pai desditoso, tentando confortá-lo, mas sentia vergonha de si mesmo...

Durante quase duas horas permaneceram ali, os dois, calados e impassíveis.

A aurora começava a refletir-se no firmamento em largas riscas rubras, quando o ferroviário abandonou a meditação, aproximando-se do filhinho quase morto.

Num gesto comovente de fé, retirou da parede velho crucifixo de madeira e colocou-o à cabeceira do agonizante. Em seguida, sentou-se no leito e acomodou o menino ao colo com especial ternura. Amparado espiritualmente por Odila, que o enlaçava, demorou o olhar sobre a imagem do Cristo Crucificado e orou em alta voz:

> *Divino Jesus, compadece-te de nossas fraquezas!... Tenho meu espírito frágil para lidar com a morte! Dá-nos força e compreensão... Nossos filhos te pertencem, mas como nos dói restituí-los, quando a tua vontade no-los reclama de volta!...*

O pranto embargava-lhe a voz, mas o pai sofredor, demonstrando a sua imperiosa necessidade de oração, prosseguiu:

> *Se é de teu desígnio que o nosso filhinho parta, Senhor, recebe-o em teus braços de amor e luz! Concede-nos, porém, a precisa coragem para suportar, valorosamente, a nossa cruz de saudade e dor!... Dá-nos resignação, fé, esperança!... Auxilia-nos a entender-te os propósitos e que a tua vontade se cumpra hoje e sempre!...*

Jatos de safirina claridade escapavam-lhe do peito, envolvendo a criança, que, pouco a pouco, adormeceu.

Júlio afastou-se do corpo de carne, abrigando-se nos braços de Odila, à maneira de um órfão que busca tépido ninho de carícias.

Tocado nas fibras mais recônditas do ser e percebendo que a morte ali estendera as suas grandes asas, Silva experimentou violenta comoção a constringir-lhe a alma. Convulsivo choro agitou-lhe o peito, enquanto uma voz inarticulada, que parecia nascer nos recessos dele mesmo, gritou-lhe na consciência:

— Assassino! Assassino!...

Desorientado e inseguro, o moço correu para a via pública, achando-se, atormentado, no seio da sombra fria, soluçando...

33
Aprendizado

1   Amaro e a família, coadjuvados por alguns vizinhos, amortalhavam a forma hirta do menino, quando rumamos de volta ao Lar da Bênção.

Notei que Júlio, asilado nos braços de Odila, se mostrava aliviado e tranquilo, como nunca o vira até então.

Enquanto as nossas irmãs permutavam ideias, com respeito ao futuro, indagava do orientador acerca da serenidade que felicitava agora o pequenino.

Clarêncio informou prestimoso:

— Júlio reajustou-se para a continuação regular da luta evolutiva que lhe compete. O renascimento malogrado não teve para ele tão somente a significação expiatória, necessária ao Espírito que deserta do aprendizado, mas também o efeito de um remédio curativo. A permanência no campo físico funcionou como recurso de eliminação da ferida que trazia nos delicados tecidos da alma. A carne, em muitos casos, é assim como um filtro que retém as impurezas do corpo perispiritual, liberando-o de certos males nela adquiridos.

— Isso quer dizer...

O ministro, porém, cortou-me a palavra, acentuando:

— Isso quer dizer que Júlio doravante poderá exteriorizar-se num corpo sadio, conquistando merecimento para obter uma reencarnação devidamente planejada, com elevados objetivos de serviço. Terá, por alguns meses conosco, desenvolvimento natural, regressando à Terra em elogiáveis condições de harmonia consigo mesmo.

— Mas voltará, assim, em tão pouco tempo? — perguntei admirado.

— Esperamos que assim seja. Deve atender ao crescimento de qualidades nobres para a vida eterna que somente o retorno à escola da carne poderá facilitar. Além disso, precisa conviver com Amaro, Zulmira e Silva, de maneira a confraternizar-se realmente com eles, segundo o amor puro que o Cristo nos ensinou.

— Essas anotações — ponderei — lançam nova claridade em nosso estudo da vida. Compreendemos, assim, que as moléstias complicadas e longas guardam função específica. Os aleijões de nascença, o mongolismo, a paralisia...

— Sim — confirmou o orientador —, por vezes é tão grande a incursão da alma nas regiões de desequilíbrio, que mais extensa se faz para ela a viagem de volta à normalidade.

Sorrindo, acrescentou:

— O tempo de inferno restaurador corresponde ao tempo de culpa deliberada. Em muitas fases de nossa evolução, somos imantados às teias da carne, que sempre nos reflete a individualidade intrínseca, assim como a argila é conduzida ao calor da cerâmica ou como o metal impuro é arrojado ao cadinho fervente. A depuração exige esforço, sacrifício, paciência...

Ante nosso olhar deslumbrado, tingira-se o horizonte de cores variegadas, anunciando o Sol que parecia nascer num mar de luz e ouro.

Muito longe, esmaeciam as estrelas, e, perto de nós, nuvens leves caminhavam apressadas, tangidas pelo vento.

Contemplando a imensidão, Clarêncio considerou:

— Quando nosso espírito apreende alguma nesga da glória universal, desperta para as mais sublimes esperanças. Sonha com o acesso às Esferas Divinas, suspira pelo reencontro com amores santificados que o esperam em vanguardas distantes, aceitando, então, duros trabalhos de reajuste. Que representam, em verdade, para nós, alguns decênios de renunciação na Terra, em confronto com a excelsitude dos séculos de felicidade em mundos de sabedoria e trabalho enaltecedor?!...

— Ah! se os homens percebessem!... — obtemperei, lembrando a rebelião que tantas vezes nos prejudica no mundo.

— Entenderão algum dia — objetou Clarêncio, otimista —; todos os seres progridem e avançam para Deus. O homem terrestre crescerá para o grande entendimento e louvará, feliz, o concurso da dor. O embrião do jequitibá, com os anos, se converte em tronco vetusto, rico de beleza e utilidade, e o espírito, com os milênios, transforma-se em gênio soberano, coroado de amor e sabedoria.

Depois de um minuto de silenciosa adoração à Natureza, o instrutor continuou:

— Volvendo ao caso de Júlio, não podemos olvidar que milhares de Inteligências, entre o berço e o túmulo, estão procurando a própria recuperação. À medida que se nos aclara a consciência e se nos engrandece a noção de responsabilidade, reconhecemos que a nossa dignificação espiritual é serviço intransferível. Devemos a nós mesmos quanto nos sucede em matéria de bem ou de mal.

— Importante observar — disse Hilário, pensativo — como a vida reclama, no refazimento da paz, a conjugação daqueles que entraram em guerra uns com os outros... No passado, Júlio arrojou-se ao despenhadeiro do suicídio sob a influência de Amaro, e Zulmira, após indispor-se com Silva...

— E, agora — completou Clarêncio —, reabilita-se com o auxílio de Zulmira e Amaro, de modo a rearmonizar-se com o enfermeiro. É natural seja assim.

— Mas Júlio, antes de tornar ao mundo, por intermédio do nosso amigo ferroviário — indaguei —, onde estaria?

— Depois de haver eliminado o próprio corpo, satisfazendo a simples capricho pessoal, sofreu por muitos anos as tristes consequências do ato deliberado, amargando nos círculos vizinhos da Terra as torturas do envenenamento a se lhe repetirem no campo mental. A morte prematura, quando traduz indisciplina diante das leis infinitamente compassivas que nos governam, constrange o Espírito que a provoca a dilatada purgação na paisagem espiritual. Não podemos trair o tempo, e a existência planificada subordina-se a determinada cota de tempo, que nos compete esgotar em trabalho justo. Quando esses recursos não são suficientemente aproveitados, arcamos com tremendos desequilíbrios na organização que nos é própria.

— Sofreria, porém, a sós?

— Nem sempre — informou o instrutor —; quando não se achava em martirizada solidão, via-se, como é lógico, onde se lhe mantinha preso o pensamento.

Ante a nossa curiosidade indagadora, acrescentou:

— Os pensamentos dele se alimentavam na atmosfera psíquica de Zulmira, Amaro e Silva, que lhe serviam de pontos básicos ao ódio. Ensinava Jesus que o homem terá o seu tesouro onde guarde o coração e, efetivamente, todos nos imantamos, em espírito, às pessoas, lugares e objetos aos quais se liguem os nossos sentimentos.

— Mas Júlio estava em contato com eles nas esferas espirituais ou nas experiências do mundo físico?

— Partilhava-lhes a vida simplesmente, e a vida, em qualquer setor de luta, é invariável. Entretanto, por detestar Amaro mais profundamente, pesava com mais intensidade sobre ele. O ferroviário, na existência do Espaço, conheceu-lhe a perseguição acérrima, ouvindo-lhe as acusações e as queixas, nas regiões purgatoriais e, ao se reencarnar, na atual condição, foi seguido de perto por Júlio, que lhe afligia a mente, dele exigindo o necessário concurso à formação do novo corpo. Em razão da leviandade de Amaro, quando na personalidade de Armando, caminhara para o suicídio. Por isso mesmo, a Lei permitia-lhe a união com o amigo transformado em desafeto, companheiro esse do qual reclamava a renovação da oportunidade perdida.

Clarêncio fitou-nos de modo especial e aduziu:

— Entre o credor e o devedor há sempre o fio espiritual do compromisso.

— Amaro teria tido, dessa forma, uma juventude algo conturbada — ponderei com objetivo de estudo.

— Sim, como acontece à maioria dos moços de ambos os sexos, na luta vulgar, muito cedo acordou para o ideal da paternidade. Em sonhos, fora do corpo denso, encontrava-se com o adversário que lhe pedia o retorno ao mundo e, ansioso de reconciliação, pensava no casamento com extremado desassossego, desejoso de saldar a conta que reconhecia dever. Muito jovem ainda, encontrou Odila que o aguardava, consoante o acordo por ambos levado a efeito, na vida espiritual; no entanto, as vibrações de Júlio eram efetivamente tão incômodas que a primeira esposa do nosso amigo não conseguiu acolhê-lo, de imediato, recebendo Evelina, em primeiro lugar, uma vez que a ligação do casal com ela se baseia em doces afinidades. Somente depois da primogênita é que se ambientou para a incorporação do suicida em sofrimento...

— Este ponto de nossa conversação — lembrei, respeitoso — faz-me recordar os conflitos interiores de muitos rapazes e de muitas moças na Terra. Às vezes se arrojam ao casamento com absoluta inaptidão para as grandes responsabilidades, qual se estivessem impulsionados por molas invisíveis, sem qualquer consideração para com os impositivos da prudência. Como se fossem atacados por subitânea loucura, desatendem a todos os conselhos do lar ou dos amigos, para despertarem, depois, com problemas de enorme gravidade, quando não acordam sob a neblina de imensas desilusões. Agora compreendo... Na base dos sonhos juvenis, quase sempre moram dívidas angustiosas a que não se pode fugir...

— Sim — confirmou o ministro —, grande número de paixões afetivas no mundo correspondem a autênticas obsessões ou psicoses, que só a realidade consegue tratar com êxito. Em muitas ocasiões, por trás do anseio de união conjugal, vibra o passado, com requisições dos amigos ou inimigos desencarnados, aos quais devemos colaboração efetiva para a reconquista do veículo carnal. A inquietação afetiva pode expressar escuros labirintos da retaguarda...

Refletindo nas lutas da alma, atirada às experiências da vida com tantos enigmas a solver, acudiu-me à lembrança antiga questão que habitualmente me vinha à cabeça.

— E os anjos da guarda? — inquiri.

Diante da surpresa que assomou ao semblante do nosso orientador, acentuei reverente:

— Perdoe-me, mas ainda sou estudante incipiente da vida espiritual. Os anjos da guarda estão em nossa esfera?

Clarêncio encarou-me admirado e sentenciou:

— Os Espíritos tutelares encontram-se em todas as esferas; contudo, é indispensável tecer algumas considerações sobre o assunto. Os anjos da sublime vigilância, analisados em sua excelsitude divina, seguem-nos a longa estrada evolutiva. Desvelam-se por nós, dentro das Leis que nos regem; todavia, não podemos esquecer que nos movimentamos todos em círculos multidimensionais. A cadeia de ascensão do espírito vai da intimidade do abismo à suprema glória celeste.

Ligeira pausa trouxe paternal sorriso aos lábios do instrutor, que prosseguiu:

— Será justo lembrar que estamos plasmando nossa individualidade imperecível no espaço e no tempo, ao preço de continuadas e difíceis experiências. A ideia de um ente divinizado e perfeito invariavelmente ao nosso lado, ao dispor de nossos caprichos ou ao sabor de nossas dívidas, não concorda com a justiça. Que governo terrestre destacaria um de seus ministros mais sábios e especializados na garantia do bem de todos para colar-se, indefinidamente, ao destino de um só homem, quase sempre renitente cultor de complicados enigmas e necessitado, por isso mesmo, das mais severas lições da vida? Por que haveria de obrigar-se um arcanjo a descer da Luz Eterna para seguir, passo a passo, um homem deliberadamente egoísta ou preguiçoso? Tudo exige lógica, bom senso.

— Com semelhante apontamento, quer dizer que os anjos da guarda não vivem conosco?

— Não digo isso — asseverou o benfeitor.

E, com graça, aduziu:

— O Sol está com o verme, amparando-o na furna, a milhões e milhões de quilômetros, sem que o verme esteja com o Sol.

As irmãs que seguiam conosco, lado a lado, embevecidas na contemplação do céu, comentavam carinhosamente o porvir de Júlio, psiquicamente distanciadas de nossa conversação.

O apontamento de nosso orientador impunha-nos graves reflexões e, talvez por esse motivo, o silêncio tentou apossar-se do grupo, mas Clarêncio, reconhecendo que o assunto demandava elucidação mais ampla, continuou:

— Anjo, segundo a acepção justa do termo, é mensageiro. Ora, há mensageiros de todas as condições e de todas as procedências e, por isso, a antiguidade sempre admitiu a existência de anjos bons e anjos maus. Anjo da guarda, desde as concepções religiosas mais antigas, é uma expressão que define o Espírito Celeste que vigia a criatura em nome de Deus ou pessoa que se devota infinitamente a outra, ajudando-a e defendendo-a. Em qualquer região, convivem conosco os Espíritos familiares de nossa vida e de nossa luta. Dos seres mais embrutecidos aos mais sublimados, temos a corrente de amor, cujos elos podemos simbolizar nas almas que se querem ou que se afinam umas com as outras, dentro da infinita gradação do progresso. A família espiritual é uma constelação de Inteligências, cujos membros estão na Terra e nos Céus. Aquele que já pode ver mais um pouco auxilia a visão daquele que ainda se encontra em luta por desvencilhar-se da própria cegueira. Todos nós, por mais baixo nos revelemos na escala da evolução, possuímos, não longe de nós, alguém que nos ama a impelir-nos para a elevação. Isso podemos verificar nos círculos da matéria mais densa. Temos constantemente corações que nos devotam estima e se consagram ao nosso bem. De todas as afeições terrestres, salientemos, para exemplificar, a devoção das mães. O espírito maternal é uma espécie de anjo ou mensageiro, embora muita vez circunscrito ao cárcere de férreo egoísmo, na custódia dos filhos. Além das mães, cujo amor padece muitas deficiências, quando confrontado com os princípios essenciais da fraternidade e da justiça, temos afetos e simpatias dos mais envolventes, capazes dos mais altos sacrifícios por nós, não obstante condicionados a objetivos por vezes egoísticos. Não podemos olvidar, porém, que o admirável altruísmo de amanhã começa na afetividade estreita de hoje, como a árvore parte do embrião. Todas as criaturas, individualmente, contam com louváveis devotamentos de entidades afins que se lhes afeiçoam. A orfandade real não existe. Em nome do Amor, todas as almas recebem assistência onde quer que se encontrem. Irmãos mais velhos ajudam os mais novos. Mestres inspiram discípulos. Pais socorrem os filhos. Amigos ligam-se a amigos. Companheiros auxiliam companheiros. Isso ocorre em todos os planos da Natureza e, fatalmente, na Terra, entre os que ainda vivem na carne e os que já atravessaram o escuro passadiço da morte. Os gregos sabiam disso e recorriam aos seus gênios invisíveis. Os romanos compreendiam essa verdade e cultuavam os numes domésticos. O gênio guardião será sempre um Espírito benfazejo para o protegido, mas é imperioso anotar que os laços afetivos, em torno de nós, ainda se encontram em marcha ascendente para mais altos níveis da vida. Com toda a veneração que lhes devemos, importa reconhecer, nos Espíritos familiares que nos protegem, grandes e respeitáveis heróis do bem, mas ainda singularmente distanciados da angelitude eterna. Naturalmente, avançam em linhas enobrecidas, em planos elevados; todavia, ainda sentem inclinações e paixões particulares, no rumo da universalização de sentimentos. Por esse motivo, com muita propriedade, nas diversas escolas religiosas, escutamos a intuição popular asseverando: "nossos anjos da guarda não combinam entre si", ou, ainda, "façamos uma oração aos anjos da guarda", reconhecendo-se, instintivamente, que os gênios familiares de nossa intimidade ainda se encontram no campo de afinidades específicas e precisam, por vezes, de apelos à natureza superior para atenderem a esse ou àquele gênero de serviço.

Chegávamos ao Lar da Bênção e os esclarecimentos do instrutor represavam-se em nossa alma, por inesquecível preleção, compelindo-nos a grande silêncio.

Blandina, porém, veio até nós e perguntou ao orientador, sensibilizada:

— Generoso amigo, podemos estar realmente convictos de que Júlio devia desencarnar agora?

— Perfeitamente. A Lei funcionou, exata. Não há lugar para qualquer dúvida.

— E aqueles jatos de pensamento escuro que partiram do enfermeiro, como que envenenando o nosso doentinho?

— Se não estivéssemos junto dele — disse o ministro —, teriam efetivamente abreviado a morte da criança, e, ainda assim, a Lei ter-se-ia cumprido; entretanto, aqueles pensamentos escuros de Mário voltaram para ele mesmo. Emitiu-os, com o evidente propósito de matar e, em razão disso, experimenta o remorso de um autêntico assassino.

A graciosa residência de Blandina, para onde nos encaminhávamos, estava agora à nossa vista.

Clarêncio afagou-a bondoso e concluiu:

— Permaneçamos convencidos, minha filha, de que, em qualquer lugar e em qualquer tempo, receberemos da vida de acordo com as nossas próprias obras.

34
Em tarefa de socorro

.1	Na noite do dia seguinte, fomos inesperadamente visitados por Odila, que nos pedia socorro.

A preocupada amiga, agora ciente do drama escuro que se desenrolara no passado próximo para melhor entender as inquietudes do presente, compreendia as necessidades de Amaro e Júlio, os quais amava por esposo e filho do coração, e rogava assistência para Zulmira, novamente acamada.

Atendendo a apelos de Evelina, tornara ao ambiente doméstico para soerguer o bom ânimo daquela que a sucedera na direção do lar, e voltara aflita.

Arrojara-se Zulmira a profundo abatimento.

Recusava remédio e alimentação.

Enfraquecia assustadoramente.

Sabia agora que a permanência dela no mundo e na carne se revestia de excepcional importância para o seu grupo familiar e, atenta a isso, continuava intercedendo.

A rápida informação da mensageira impressionava e comovia pelo tom de amorosa aflição em que era vazada.

Não nos delongamos na resposta.

Era mais de meia-noite, na cidade, quando atravessamos a porta acolhedora da casa do ferroviário que, desde muito, constituía para nós valioso ponto de ação.

A dona da casa, de pensamento fixo nas derradeiras cenas da morte do pequenino, jazia no leito em prostração deplorável.

Emagrecera de modo alarmante.

Fundas olheiras roxas contrastavam com a acentuada palidez do rosto desfigurado.

Recaíra na introversão em que a conhecêramos. Rememorava o afogamento do pequeno enteado e, longe de saber que o retivera nos braços como filho abençoado de sua ternura, sentia-se na condição de ré infortunada no banco da justiça.

Decerto — pensava, agoniada —, sofria a punição divina. Aquela morte do pequeno, quando tudo fazia crer que ele cresceria para a ventura do lar, correspondendo-lhe à expectativa, era dolorosa pena imposta ao seu maternal coração. Ah! Devia ter sido pronunciada perante os juízes da Sabedoria Celeste. No mundo, ninguém lhe conhecia o remorso de guardiã invigilante e cruel, mas fora sem dúvida identificada pelos tribunais de mil olhos do Direito Incorruptível. Não amparara convenientemente o filhinho de Odila, relegando-o a intencional abandono... Agora, perdia inexplicavelmente o rebento que lhe definia a esperança no grande futuro. Valeria erguer-se e disputar aquilo que para ela representava a dor de viver? Reconhecia-se esmagada. O complexo de culpa retomara-lhe o cérebro e enfermara-lhe o coração.

Reparamos que diversos medicamentos se alinhavam à cabeceira, mas nosso instrutor examinou-os, auscultou a doente e informou:

— O remédio de Zulmira é daqueles que a farmácia não possui. Virá dela mesma. Precisamos refazer-lhe a esperança e o gosto de viver. Descontrolou-se-lhe, de novo, a mente. Desinteressou-se da luta, e a abstenção de alimentos acarreta-lhe a inanição progressiva.

— E o reencontro com o filhinho? — perguntou Hilário. — Não seria o melhor processo de restaurar-lhe o bom ânimo?

— É o que esperamos — concordou o ministro —; todavia, Júlio, na fase que atravessa, requisita, pelo menos, uma semana de absoluto repouso e, até lá, é indispensável entreter-lhe as energias.

Em seguida, Clarêncio entrou em ação, aplicando-lhe recursos magnéticos, com o nosso humilde concurso.

A tensão nervosa de Zulmira, porém, atingira o apogeu e apenas conseguimos sossegá-la, de alguma sorte, sem conduzi-la ao sono reparador que seria de desejar.

Odila, fortalecida, tomava-a aos seus cuidados, quando fomos defrontados por imprevisto fenômeno.

Mário Silva, desligado do corpo denso, com a rapidez de um relâmpago, penetrou o quarto, de olhos esgazeados, à maneira de louco, contemplou a doente por alguns instantes e afastou-se.

Volvemos nossa indagadora atenção para o ministro, que esclareceu sem detença:

— É sabido que o criminoso habitualmente volta ao local do crime. O remorso é uma força que nos algema à retaguarda.

E porque nos inclinássemos à procura do visitante inesperado, o instrutor aquietou-nos, recomendando:

— Aguardemos. Mário voltará.

Com efeito, Silva, depois de alguns minutos, regressou ao aposento. Com a mesma expressão de dementado, fixou a pobre enferma e, dessa vez, rojou-se de joelhos, exclamando:

— Perdão! Perdão!... Sou um assassino! Um assassino!... **34**

Levantamo-nos, instintivamente, com o propósito de socorrê-lo, mas tocado de longe pela nossa influência magnética, qual se fora alcançado por um raio, o enfermeiro projetou-se para fora.

— Infortunado amigo! — falou o ministro, contristado.
— Sofre muito. Ajudemo-lo a soerguer-se.

Num átimo, ganhamos o domicílio de Mário, encontrando-o em pesadelo aflitivo, contido no leito à custa de poderosos anestésicos.

Com surpresa para nós, uma freira desencarnada rezava junto dele.

Interrompeu as preces, a fim de saudar-nos, acolhendo-nos com simpatia.

— Estava certa — disse delicada e confiante — de que Nosso Senhor nos enviaria o socorro justo. Desde algumas horas, ocupo aqui o serviço de vigilância. A posição do nosso amigo — e indicou Mário estendido na cama — é francamente anormal e temo a intromissão de Espíritos diabólicos.

Clarêncio assumiu o aspecto de simples visitante, vulgarizando-se ao olhar da religiosa, que se sentia evidentemente encorajada com a nossa presença.

— É enfermeira? — perguntou nosso instrutor, cortês.

— Não sou propriamente do serviço de saúde — replicou a interpelada —, mas colaboro no hospital onde Silva trabalha.

Fitou o moço semiadormecido e aduziu piedosa:

— É um cooperador devotado às crianças doentes e a cuja assiduidade e carinho muito passamos a dever.

E, numa linguagem genuinamente católica-romana, rematou:

— Muitas almas benditas têm descido do Céu para testemunhar-lhe agradecimento. Isso tem acontecido tantas vezes que, com alguns médicos e assistentes, fez-se credor das melhores atenções de nossa Irmandade.

Usando o tato que lhe era característico, nosso orientador indagou:

— Como soube a irmã que o nosso amigo se achava assim tão conturbado?

— Não recebemos qualquer notificação direta; contudo, ele não compareceu hoje às tarefas habituais e isso foi suficiente para indicar-nos que algo de grave estava acontecendo. Nossa superiora designou-me para verificar o que havia. Desde então, estou presa, uma vez que não supunha a existência de tantos Espíritos das trevas na vizinhança.

A palavra da freira saturava-se de tanta bondade espontânea e evidenciava uma fé pura tão encantadoramente ingênua que a curiosidade me espicaçou o íntimo. A tentação de pesquisar o fascinante problema daquele caridoso esforço assistencial me constrangia a interferir no assunto, mas um olhar de Clarêncio bastou para que Hilário e eu nos mantivéssemos em respeitoso silêncio.

— É comovente pensar na sublimidade de sua missão, depois de ausentar-se do corpo terrestre — falou o ministro, bondoso, talvez provocando alguma elucidação direta, capaz de satisfazer-nos.

— Sim, trabalhamos sob a direção de Madre Paula — informou a interlocutora, sincera —, que nos explica ser a enfermagem nas casas públicas de tratamento uma forma de purgatório benigno, até que possamos merecer novas bênçãos de Deus.

— Mas, irmã, vê-se de pronto que o seu coração está comungando a paz do Senhor.

Ela baixou humildemente os olhos e ponderou:

— Não penso assim. Sou uma pobre religiosa, em trabalho para resgatar os próprios pecados.

No leito, Mário gemia inquieto.

O ministro pareceu despreocupar-se da palestra de ordem pessoal e passou a afagar a fronte do enfermo, dando-nos a ideia de que só ele devia atrair-nos o interesse.

A freira acercou-se respeitosamente de nosso instrutor e disse calma:

— Irmão, Madre Paula costuma dizer-nos que os ouvidos de Deus vivem no coração das grandes almas. Estou certa de que escutastes minhas rogativas. Tenho-vos por emissários da Corte Celeste. Acredito que, desse modo, me compete a obrigação de confiar-vos nosso doente.

Clarêncio agradeceu o carinho que transparecia daquelas palavras e expôs que a nossa passagem por ali era rápida, o bastante para ministrar o socorro preciso.

A interlocutora encareceu a necessidade de comunicar-se com o hospital, quanto ao cooperador em agitada prostração, e, prometendo voltar em breves minutos, ausentou-se à pressa.

A sós conosco, o orientador, embora de atenção ligada ao enfermeiro, explicou atenciosamente:

— Nossa irmã pertence à organização espiritual de servidores católicos, dedicados à caridade evangélica. Temos diversas instituições dessa natureza, em cujos quadros de serviço inúmeras entidades se preparam gradualmente para o conhecimento superior.

— Sob a direção de autoridades ainda ligadas à Igreja Católica? — perguntou Hilário, admirado.

— Como não? Todas as escolas religiosas dispõem de grandes valores na vida espiritual. Como acontece à personalidade humana, as crenças possuem uma região clara e luminosa e uma outra ainda obscura. Em nossa alma, a zona lúcida vive alimentada pelos nossos melhores sentimentos, enquanto, no mundo sombrio de nossas experiências inferiores, habitam as inclinações e os impulsos que ainda nos encadeiam à animalidade. Nas religiões, o campo da sublimação está povoado pelos espíritos generosos e liberais, conscientes de nossa suprema destinação para o bem, ao passo que, nas linhas escuras da ignorância, ainda enxameiam as almas pesadas de ódio e egoísmo.

E, sorrindo, o ministro acentuou:

— Achamo-nos em evolução e cada um de nós respira no degrau em que se colocou.

— Ela, porém, terá penetrado a verdade com que fomos surpreendidos, depois da morte? — perguntei intrigado.

— Cada Inteligência — respondeu o orientador, enigmático — só recebe da verdade a porção que pode reter.

Silva, no leito, dava inequívocos sinais de enorme angústia.

Não ignorava que o meu dever de assisti-lo era trabalho inadiável; todavia, o encanto espiritual da religiosa singularmente arraigada aos hábitos terrestres me excitava de tal maneira a curiosidade que não pude conter a indagação espontânea.

— Mas essa freira sabe que deixou o mundo, sabe que desencarnou e prossegue, assim mesmo, como se via antes?

— Sim — confirmou o instrutor imperturbável.

— E estará informada de que a vida se estende a outras esferas, a outros domínios e a outros mundos? Perceberá que o Céu ou o Inferno começam de nós mesmos?

O orientador meneou a cabeça, dando mostras de negativa, e acrescentou:

— Isso não. Ela não oferece a impressão de quem se libertou do círculo das próprias ideias para caminhar ao encontro das surpresas de que o Universo transborda. Mentalmente, revela-se adstrita às concepções que elegeu na Terra como as mais convenientes à própria felicidade.

— E ninguém a incomoda aqui por viver assim distante do conhecimento real do caminho?

O orientador assumiu feição mais carinhosamente paternal para comigo e ajuntou:

— Antes de tudo, deve nossa irmã merecer-nos a maior veneração pelo bem que pratica e, quanto ao modo de interpretar a vida, não podemos esquecer que Deus é Nosso Pai. Com a mesma tolerância, dentro da qual Ele tem esperado por nossa mais elevada compreensão, aguardará um melhor entendimento de nossa amiga. Cada Espírito tem uma senda diversa a percorrer, assim como cada mundo tem a rota que lhe é peculiar.

E, fixando-me com particular atenção, observou:

— A maior lição aqui, André, é a da sementeira que produz, inevitável. Mário Silva, na posição de enfermeiro, não obstante a ruinosa impulsividade em que se caracteriza, tem sido prestimoso e humano, tornando-se credor do carinho alheio. Segundo vemos, não é um homem devotado às lides religiosas. É irritável e agressivo. De ontem para hoje, chega a sentir-se criminoso... Entretanto, é correto cumpridor dos deveres que abraçou na vida e sabe ser paciente e caridoso no desempenho das próprias obrigações. Com isso, granjeou a simpatia de muitos e encontramo-lo fraternalmente guardado por uma freira reconhecida...

O ensinamento era efetivamente comovedor.

Dispunha-me a prosseguir no comentário; contudo, Silva começou a gemer e o ministro, inclinando-se para ele, demorou-se longo tempo a auscultá-lo.

Em seguida, Clarêncio reergueu-se e falou:

— Pobre amigo! Permanece impressionado com a morte de Júlio, conservando aflitivo complexo de culpa. Tem o pensamento ligado ao pequenino morto, à maneira de imagem fixada na chapa fotográfica. Passou o dia acamado, sob extrema perturbação. Observo que não foi à casa de Antonina, conforme previa. Sentiu-se vencido, envergonhado... Entretanto, somente nossa irmã possui para ele o remédio indispensável...

4.9   Depois de pausa ligeira, indagamos se não nos seria possível socorrê-lo, de modo mais positivo, por meio de passes, ao que Clarêncio respondeu, seguro de si:

— O auxílio dessa natureza ampara-lhe as forças, mas não resolve o problema. Silva deve ser atingido na mente, a fim de melhorar-se. Requisita ideias renovadoras e, no momento, Antonina é a única pessoa capaz de reerguê-lo com mais segurança.

Recordei instintivamente o drama que se desenrolara ao tempo da Guerra do Paraguai, parecendo-me ouvir, de novo, a narração do velho Leonardo Pires.

Assinalando-me o pensamento, o ministro ponderou:

— Tudo na vida tem a sua razão de ser. Noutra época, Silva, na personalidade de Esteves, aliou-se a Antonina, então na experiência de Lola Ibarruri, para se afogarem no prazer pecaminoso, com esquecimento das melhores obrigações da vida. Atualmente, estarão reunidos na recuperação justa. Os que se associam na leviandade, à frente da Lei, acabam esposando enormes compromissos para o reajustamento necessário. Ninguém confunde os princípios que regem a existência.

Decidia-me a desfechar novas interrogações, mas Clarêncio, pousando afetuosamente o indicador sobre os meus lábios, recomendou:

— Cessa a curiosidade, André! Quando passamos a explanar sobre a Lei, nossa conversação adquire o sabor de eternidade, e a imposição de serviço nos condiciona ao minuto que passa.

E, indicando o enfermeiro excitado, anunciou:

— Na tarde de amanhã, voltaremos para conduzi-lo à residência de nossa irmã. Por intermédio de Antonina, habilitar-se-á para o indispensável reerguimento. Por agora, não podemos fazer mais.

Decorridos alguns instantes, a freira regressou à nossa presença, assistida por outra irmã, que nos cumprimentou com atenciosa reserva.

Ambas haviam sido designadas para a tarefa de auxílio ao cooperador doente. A congregação encarregar-se-ia de todos os trabalhos de vigilância e enfermagem espiritual, enquanto Silva assim permanecesse.

Depois de breve diálogo, saudamo-las com respeitosa cordialidade e nos retiramos, com a promessa de voltar no dia seguinte.

35
Reerguimento moral

5.1   Consoante o programa traçado, regressamos, no dia imediato, estagiando primeiramente no lar de Zulmira, cuja posição orgânica era mais aflitiva.

A pobre senhora mostrava-se mais pálida, mais abatida.

O médico cercara-a de drogas valiosas; entretanto, a infortunada criatura demorava-se em profunda exaustão.

Amaro e Evelina desvelavam-se, preocupados; todavia, a torturada mãezinha deixava-se morrer.

Diante da nossa apreensão manifesta, o ministro apenas afirmou:

— Aguardemos. Numa equipe, quase sempre a melhora de um companheiro pode auxiliar a melhora de outro. A recuperação de Silva, ao que me parece, influenciará nossa amiga na defesa contra a morte.

Não se delongou por muito tempo na intervenção magnética.

Sem detença, procuramos o domicílio do enfermeiro, **35.** encontrando-o superexcitado quanto na véspera, mas abnegadamente assistido pelas freiras que persistiam, dedicadas, na oração.

As religiosas desencarnadas acolheram-nos com carinho, comunicando que o doente prosseguia em desespero.

Clarêncio, contudo, assegurou-lhes otimista que Mário passearia conosco e, após entreter-se, voltaria melhor.

Em seguida, abeirou-se do enfermo e, tocando-lhe a fronte com a destra, orou sem alarde.

Qual se recebesse preciosa transfusão de forças fluídicas, Silva aquietou-se como por encanto.

Revelou-se mais calmo, não obstante entristecido.

A expressão facial que lhe denunciava a sublevação interior transformou-se-lhe no semblante em dolorosa serenidade.

Nosso orientador desenvolveu alguns passes de auxílio e notificou:

— Silva experimenta enorme necessidade de ouvir a palavra de Antonina; contudo, está hesitante. Afirma-se intimamente envergonhado. Crê-se responsável pela morte da criança e teme o contato com a nobreza espiritual de nossa irmã, apesar de sentir-se arrastado para ela. Buscaremos, porém, auxiliar-lhes a reaproximação.

Acariciou a fronte do moço atormentado e acentuou:

— O desabafo descarregar-lhe-á a atmosfera mental, favorecendo-lhe o alívio e a recepção de elementos renovadores.

Em seguida, o instrutor abraçou-o, envolvendo-o em amorosa solicitude. Aquele amplexo afetuoso e longo figurou-se-nos um apelo às energias recônditas do rapaz que, de imediato, levantou-se e vestiu-se.

Ignorando como explicar a si mesmo a súbita resolução que o movia, desceu para a rua, seguido de perto por nosso cuidado, e tomou o carro que o transportaria até a residência da simpática família que o acolhera carinhosamente na antevéspera.

5.3   Antonina e os filhos abriram-lhe os braços alegremente.

A pequena Lisbela, encantada, dependurou-se-lhe ao pescoço, depois de um beijo comovente.

Achava-se ainda acamada, mas refeita e feliz.

Qual se convivesse com Mário, de longo tempo, a dona da casa fitou-o, apreensiva.

Preocupada, notou-lhe o abatimento, enquanto o hóspede pareceu esmolar-lhe, em silêncio, ajuda e compreensão.

Percebendo-lhe a angústia oculta, a jovem viúva induziu-o à conversação particular, em singelo recanto da sala, onde atendia com os filhinhos ao culto da oração.

O enfermeiro pediu-lhe desculpas por tratar de assunto pessoal e, começando por justificar a sua ausência na véspera, de frase a frase entrou na faixa dolorosa do próprio coração, desabafando...

Lembrou que ali, junto dela, recebera ensinamentos da mais elevada significação para ele e, por esse motivo, não vacilava em descerrar-lhe o espírito desolado, implorando compaixão e socorro.

Tentando confortá-lo, a interlocutora escutou-lhe a narrativa até o fim.

Mário reportou-se à juventude, comentou os problemas psíquicos de que se via rodeado desde a infância, descreveu-lhe o amor que nutrira pela moça que o abandonara em pleno sonho, relacionou as provas que lhe haviam castigado o brio de rapaz, salientou o esforço que despendera para recuperar-se e, por fim, extremamente conturbado, explanou sobre o reencontro com a ex-noiva e com o ex-rival, junto do pequenino agonizante... Referiu-se ao ódio inexplicável que sentira pelo anjinho moribundo, encareceu os benefícios do culto evangélico em sua alma incendiada de revolta e amargura, expondo-lhe a convicção de haver contribuído para a morte da criancinha que detestara, à primeira vista...

Guardava a impressão de haver descido a tormentoso inferno moral.

Antonina sentiu por ele a piedade amorosa com que as mães se dispõem ao soerguimento espiritual dos filhos sofredores e rogou-lhe serenidade.

Silva, contudo, em pranto convulsivo, era um doente que reclamava mais ampla intervenção.

Atraída irresistivelmente para ele, a nobre amiga deixou de sublinhar o tratamento com a palavra "senhor" e, fazendo-se mais íntima, obtemperou carinhosa:

— Mário, quando caímos é preciso que nos levantemos, a fim de que o carro da vida, em seu movimento incessante, não nos esmague. Conhecemo-nos há dois dias; no entanto, sinto que profundos laços de fraternidade nos reúnem. Não acredito estejamos aqui juntos, obedecendo a simples acaso. Decerto, as forças que nos dirigem a existência impelem-nos aos testemunhos afetivos desta hora. Enxugue as lágrimas para que possamos ver o caminho... Compreendo o seu drama de homem rudemente provado na forja da vida; entretanto, se posso pedir-lhe alguma coisa, rogar-lhe-ia bom ânimo.

Fixando-o com mais doçura no olhar, prosseguiu, depois de leve pausa:

— Também eu tenho lutado muito. Lutado e sofrido. Casei-me por amor e vi-me espoliada em minhas melhores esperanças. Meu marido, antes de encontrar a morte, relegou-nos a dolorosa penúria. Quando mais intensa era a nossa agonia doméstica, vi um filhinho morrer ao toque das aflitivas provações que nos flagelavam a casa... Graças a Deus, todavia, reconheço que seríamos tão somente ignorância e miséria sem o auxílio da dor. O sofrimento é uma espécie de fogo invisível, plasmando-nos o caráter. Não se deixe abater assim. Você está moço e as suas realizações no mundo podem ser as mais elevadas...

— Mas estou certo de que sou um assassino!... — soluçou o rapaz, desacoroçoado.

— Quem poderia confirmá-lo? — exclamou Antonina, com mais ternura na voz. — É indispensável recordemos que, atento à profissão, atendeu você a um menino completamente entregue ao domínio do crupe. O pequenino Júlio, à sua chegada, já estaria ofegante, sob as asas da morte.

— Mas e a impressão? E o remorso? Sinto-me derrotado, aflito... Tenho medo de mim mesmo...

A nobre senhora fitou o hóspede com a admirável segurança que lhe era peculiar e falou firme:

— Mário, você acredita na reencarnação da alma?

E porque o interlocutor a contemplasse com estranheza, continuou sem ouvir-lhe a resposta:

— Todos somos viajores no grande caminho da eternidade. O corpo de carne é uma oficina em que nossa alma trabalha, tecendo os fios do próprio destino. Estamos chegando de longe, a reviver dos séculos mortos, como as plantas a renascerem do solo profundo... Naturalmente, você, Amaro, Zulmira e Júlio estão recapitulando alguma tragédia que ficou distanciada no espaço e no tempo, mas viva nos corações. E, mediante o carinho de sua confissão espontânea, não duvido de minha participação em algum lance da luta que motivou os acontecimentos da atualidade. Amor e ódio não se improvisam. Resultam de nossas construções espirituais nos milênios. Provavelmente, alguma responsabilidade me compete nos serviços em cuja execução você se comprometeu. Nossa confiança imediata, nossa associação neste assunto sem qualquer base prévia, essa simpatia fraternal com que você vem a mim e o interesse com que lhe ouço a exposição me autorizam a admitir que o presente está refletindo o passado. E, em razão disso, ofereço-me para cooperar com o seu esforço de algum modo...

— Colaborar? — atalhou o moço, quase alucinado. — É impossível... O menino está morto...

Envolta nas irradiações de Clarêncio, Antonina alegou com sensatez:

— E quem nos diz que Júlio não possa voltar à Terra? Quem nos pronunciará incapazes de algo fazer em benefício da criancinha que partiu?

— Como? Como? — indagou, atônito, o infeliz.

— Escute, Mário. O egoísmo não se revela feroz tão somente em nossas alegrias. Muitas vezes, comparece também, asfixiante e terrível, em nossas dores. Isso se verifica quando em nossa mágoa pensamos apenas em nós. Você se declara delinquente, amargurado, vencido, qual se fosse um herói repentinamente arrojado do altar da admiração pública à poeira da desconsideração. Admito que concentrar demasiada atenção em culpas imaginárias é mera vaidade a encarcerar-nos na angústia vazia. Enquanto lastimamos a nossa imperfeição, perdemos a hora que seria justo utilizar em nossa própria melhoria.

E, modificando a inflexão de voz, que se fez algo mais firme, acrescentou:

— Você já meditou no padecimento dos pais feridos pela separação? Já refletiu nos sonhos maternos, despedaçados? Por que não estender fraternos braços aos progenitores na sombra do infortúnio? Creio na imortalidade da alma e na redenção dos nossos erros, penso que a renovação do dia é um símbolo da graça do Senhor sempre repetida em nosso caminho, para que lhe aproveitemos o tesouro de bênçãos no crescimento ou no reajuste... Por que não visitar você o lar de nossos desventurados amigos, nesta hora em que naturalmente precisam de carinho e solidariedade? É possível que a Divina Bondade esteja reservando ali algum serviço para o seu propósito de elevação. Quem sabe? A volta de Júlio pode efetuar-se. Para isso, porém, será necessário reerguer o ânimo materno...

Passando da energia de conselheira à ternura de irmã, aduziu carinhosa:

— Deixaria você a outrem o privilégio de semelhante serviço?

— Não tenho coragem! — lamentou o rapaz, chorando.

— Não, Mário! Em ocasiões dessas, não é a coragem que nos falha, e sim a humildade. Nosso orgulho neste mundo, apesar de inconsequente e vão, é por demais envolvente e excessivo. Não sabemos liberar a personalidade segregada no visco de nosso exagerado amor-próprio. Em suma, aprisionamos o coração na escura fortaleza da vaidade e não sabemos ceder...

Apegando-se ao socorro moral que lhe era lançado, o enfermeiro suplicou pesaroso:

— Antonina, creio em sua amizade e na elevada compreensão que flui de suas palavras. Ajude-me! Não vim aqui senão rogar auxílio e discernimento. Exponha você mesma o que devo fazer. Dê-me um plano. Perdoe-me a intimidade, tenho sido um homem sem fé... Não tenho autoridades ou amigos para quem apelar... Não nos conhecemos senão há dias, mas encontrei em seu coração e em sua casa algo novo para meu pobre espírito... Suporte-me e ampare-me por amor de Deus, em cuja providência você crê com tanta sinceridade!...

A jovem viúva, sentindo-se verdadeiramente irmã dele, acariciou-lhe as mãos quais se fossem velhos conhecidos, e agora, igualmente em lágrimas de emotividade e reconhecimento, convidou-o a visitarem juntos o casal sofredor, na noite seguinte.

Confiaria Henrique e Lisbela aos cuidados de uma parenta e seguiriam para a residência de Amaro, em companhia de Haroldo. Desejava auxiliá-lo, a ele, Mário, na justa recuperação, e, para esse fim, estimaria acompanhá-lo, de maneira a ser mais útil.

O moço aceitou a gentileza, exultante.

Estava convencido de que, ao lado de Antonina, encontraria uma solução.

Um sorriso de reconforto assomou-lhe aos lábios e foi assim que deixamos o enfermeiro atormentado, sob a eclosão de nova e abençoada esperança.

36
Corações renovados

1   Três dias haviam corrido sobre a libertação de Júlio.
De novo, ao lado de Zulmira, nas primeiras horas da noite, reparávamos-lhe a profunda exaustão...
O enfraquecimento progressivo impusera-lhe perigosa situação orgânica.
O próprio Clarêncio, depois de auscultá-la, observou apreensivo:
— Nossa irmã reclama socorro mais seguro. O esgotamento é quase completo.
A enferma recebia-lhe a assistência magnética, quando Mário, Antonina e Haroldo deram entrada em sala próxima.
Deixamos nosso instrutor com a doente e demandamos a peça em que se efetuaria o encontro familiar.
O ferroviário e a filha faziam as honras da casa.
Amaro, acolhedor, dava mostras de grande alívio. O sorriso, embora triste, era largo e espontâneo, demonstrando o contentamento interior de quem via terminar velha e desagradável desavença.

Mário, porém, surgia constrangido e desajeitado, enquanto Antonina irradiava simpatia e bondade, cativando, de improviso, a amizade dos anfitriões.

O enfermeiro apresentou a jovem senhora e o filhinho como amigos particulares e, depois, evidentemente instruído pela companheira, iniciou a palestra, comentando a penosa impressão que lhe causara o falecimento do pequenino e pedia escusas por não haver reaparecido, como reconhecia de seu dever.

A ocorrência desnorteara-o.

Caíra de cama, impressionado com o acontecimento que lhe não cabia esperar.

Falava realmente comovido, porque, lembrando os derradeiros minutos da criança, represavam-se-lhe os olhos de lágrimas que não chegavam a cair.

Aquela emotividade manifesta, aliada à humildade sincera que Silva deixava transparecer, tocava o coração de Amaro, que se descerrou mais amplamente.

— Percebi — disse o dono da casa — a dor que o envolveu no momento justo em que nosso anjinho era arrebatado pela morte. Sua aflição me comoveu muito, não só pelo devotamento do profissional que nos assistia, mas também pela afetividade pura do amigo que, há tanto tempo, se distanciara de nossos olhos.

A generosidade do ex-rival, por sua vez, influenciava o enfermeiro de modo decisivo.

As vibrações de afabilidade e carinho que se desprendiam do apontamento afetuoso modificavam-lhe o íntimo.

Mário passou a sentir balsamizante desafogo.

E, enquanto Evelina se afastava para atender à madrasta doente, reportava-se à tortura moral que o assaltara, assim que viu Júlio inerte, detendo-se na breve descrição do complexo de culpa que o acometera. Teria seguido com segurança a indicação do especialista? Enganar-se-ia, porventura, na dosagem da medicação?

6.3   Na ligeira pausa que surgiu natural, Amaro tornou à palavra, acrescentando, bondoso:

— Não havia motivo para tamanha preocupação. Desde a primeira visita médica, compreendi que o nosso filhinho estava condenado. O soro foi o último recurso.

E, com dolorida resignação, acentuou:

— Não é a primeira vez que atravesso uma provação dessa ordem. Há tempos, sofri a perda do caçula de meu primeiro matrimônio, estranhamente afogado numa de nossas raras excursões até a praia. Confesso que só me faltou enlouquecer. Entretanto, apeguei-me à religião para não soçobrar e hoje compreendo que somente nos compete acatar os desígnios de Deus. Não passamos de criaturas necessitadas de socorro divino, a cada instante de nossa experiência humana.

— Sem dúvida — interferiu Antonina, otimista —, sem apoio espiritual, não avançaríamos um passo no terreno da verdadeira harmonia íntima. A morte do corpo nem sempre é o pior que nos possa acontecer. Quantas vezes os pais são constrangidos a acompanhar a morte moral dos filhos, no crime ou na viciação que não conseguem interromper? Também perdi um dos rebentos que Deus me confiou, mas procurei acomodar-me à saudade sem revolta, porque a Sabedoria do Senhor não deve ser menosprezada.

— Que prazer ouvi-la! — disse o ferroviário, com discreta satisfação. — Após afeiçoar-me, com mais empenho, ao Catolicismo, na leitura de Santo Agostinho, observo que abençoada renovação se fez em mim.

E, fitando a interlocutora, com mais atenção, aduziu:

— A senhora é também católica?

Antonina sorriu delicada, e informou:

— Não, senhor Amaro, em matéria de fé, aceito a interpretação evangélica do Espiritismo; entretanto, isso não impede que estejamos procurando o mesmo Mestre.

— Ah! sim, Jesus é o nosso porto — acentuou o anfitrião, liberal —, não entendo a religião por elemento separatista. A senhora, na condição de espírita, e eu, na posição de católico, possuímos uma só linguagem na fé que nos identifica. Creio que a Providência Divina, como o Sol, brilha para todos.

— É muita alegria sentir-lhe a nobreza da alma — comentou Antonina, entusiástica —; na essência, desejamos ser cristãos sinceros, e a sua generosidade me permite entrever a beleza do Cristo nas vidas nobres.

Amaro não conseguiu responder.

Um táxi parou à porta e, de imediato, o médico da família entrou para a inspeção.

Depois das saudações usuais, passou ao quarto da enferma e, porque o dono da casa se propusesse segui-lo, recomendou-lhe permanecesse na sala com as visitas, uma vez que tencionava submeter a doente a meticuloso exame, pretendendo ouvi-la a sós.

Evelina veio ter conosco e, acompanhando o facultativo com o nosso olhar, vimo-lo carinhosamente recebido por Clarêncio e Odila, que se nos mostraram à porta.

A conversação passou a desdobrar-se a respeito de Zulmira.

O chefe da família, preocupado, discorria sobre a esposa acamada, encarecendo a delicadeza da situação.

Zulmira, que adoecera com a enfermidade do filhinho, desde a morte dele, não mais se alimentara.

Não obstante todos os conselhos médicos e todos os apelos afetivos, demonstrava-se alheia, no mais amplo desinteresse pela vida.

Enfraquecia, de modo alarmante.

Como se quisesse dar notícias de seu círculo particular ao atento enfermeiro, relacionou os desajustes psíquicos da companheira antes da vinda do filhinho que a morte lhes arrebatara ao convívio.

Zulmira, com a maternidade triunfante, como que se renovara.

Revelara-se mais alegre, mais viva.

Readquirira a saúde plena.

Com a desencarnação da criança, nova crise de contratempos invadira-lhe a casa.

A moléstia asilara-se, ali, de novo, entre as quatro paredes.

Mário, a permutar significativos olhares com Antonina, de quando em quando se situava entre a perplexidade e o desencanto.

A confissão de Amaro constituía um testemunho de humildade pura.

Em muitas ocasiões, fantasiara-o, na própria imaginação, qual se fora um poço de orgulho e arrogância e, por muitas vezes, surpreendera-se em acalorados solilóquios, rixando com ele em pensamento.

Agora, reparava que o antagonista era um homem comum, tanto quanto ele necessitado de paz e compreensão.

O entendimento prosseguia mais afetuoso, quando o clínico tornou à sala.

De semblante torturado, dirigiu-se ao ferroviário, notificando:

— Amaro, a providência é quase impossível quando a previdência não funciona. A posição de Zulmira piorou muitíssimo nas últimas horas. O soro aplicado desde ontem não trouxe o resultado preciso. O abatimento é enorme. Creio indispensável uma transfusão de sangue ainda esta noite, para que não sejamos amanhã surpreendidos por obstáculos insuperáveis.

Amaro empalideceu.

Antonina voltou-se em silêncio para Silva, como a dizer-lhe, de coração para coração: "Não hesite. É a sua hora de ajudar. Aproveite a oportunidade".

Mário, acanhado, levantou-se maquinalmente e, antes que Amaro fizesse qualquer referência ao assunto, apresentou-se ao médico, explicando:

— Doutor, se a minha cooperação for aceita, sentirei prazer nisso. Sou doador de sangue no hospital em que trabalho. Um telefonema seu ao pediatra amigo, a quem o senhor recorreu no caso de Júlio, pode confirmar as minhas palavras.

E, erguendo os olhos para o ex-rival, disse, em voz quase suplicante:

— Amaro, permita-me! Quero auxiliar a doente de algum modo!... Afinal de contas, somos todos, agora, bons irmãos.

O chefe da casa, comovido, abraçou-o reconhecidamente.

— Obrigado, Silva!

Nada mais conseguiu dizer.

De olhos angustiados, dirigiu-se para o aposento da mulher, envolvendo-a em manifestações de carinho.

Antonina, colocando Haroldo junto a uma pilha de revistas velhas, pôs-se à disposição de Evelina para qualquer atividade caseira, enquanto Mário e o médico partiram velozes em busca do material necessário.

Transcorrida uma hora, a câmara da enferma se iluminava mais intensamente para o serviço a fazer.

Zulmira, admirada, reconheceu Mário; todavia, era enorme a prostração para que pudesse demonstrar interesse ou desprazer. Apresentada a Antonina, limitou-se a endereçar-lhe alguns monossílabos, com um breve sorriso de reconhecimento.

Assumindo a direção da enfermagem, a jovem viúva parecia uma figura providencial.

Amparou a doente com carinho, auxiliou o clínico nas tarefas do momento e, cativando a gratidão dos novos amigos, colaborou com Evelina para que todas as medidas alusivas à higiene se efetuassem harmoniosas.

Realizada a transfusão, a enferma entrou na reação característica; contudo, Silva, fosse porque estivesse de si mesmo enfraquecido ou porque a quantidade de sangue tivesse sido demasiada, passou a acusar profundo abatimento.

Em seus olhos, porém, brilhava uma luz diferente.

Afigurava-se-lhe haver perdido as inquietações que o martirizavam. Adquirira a noção de que se reabilitara, perante a própria consciência. Trouxera aos ex-adversários o próprio coração em forma de visita fraterna. E as suas próprias forças insufladas no campo orgânico da mulher que lhe fora a bem-amada como que lhe favoreciam a ausência dos velhos pensamentos de mágoa que, por tanto tempo, lhe haviam flagelado a vida íntima.

Registrando-lhe a queda de energias, o médico ministrou-lhe, de imediato, os recursos aconselháveis, permanecendo Mário, desse modo, comodamente instalado em larga poltrona, junto dos amigos.

Despediu-se o facultativo, mais animado.

Antonina, sem afetação, ajudou no preparo do café, que foi saboreado por todos, enquanto a conversação foi reatada com alegria.

Foi então que a viúva se ofereceu para voltar.

Era industriária e, na posição de mãe, responsabilizava-se por três crianças; entretanto, poderia dispor de dois dias.

Amaro salientou a dificuldade para encontrar uma enfermeira ou governanta para horas difíceis e aceitou a gentileza.

Antonina, contente, prometeu regressar, trazendo Lisbela, na manhã seguinte. Estava convencida de que a menina conseguiria entreter Zulmira, com as suas infantilidades, mitigando-lhe o coração saudoso de mãe.

Evelina abraçou-a encantada. Simpatizara-se com Antonina, como se fossem duas irmãs.

Algo reanimado e positivamente feliz, Mário dispôs-se à retirada e um táxi foi trazido.

Num ambiente de construtiva cordialidade, desenvol- **36.**
veu-se a reconfortante despedida.

E Silva, fitando a companheira de excursão com reconhecimento e carinho, sentiu-se reconciliado consigo mesmo, irradiando a alegria silenciosa de quem retorna à felicidade.

37
Reajuste

.1   Quando os amigos se afastaram, Clarêncio cercou Zulmira de cuidados especiais, aplicando-lhe passes de reconforto.

A injeção de sangue renovador lhe fizera grande bem.

Pouco a pouco, acomodaram-se-lhe os centros de força.

Desde a desencarnação do filhinho, a pobre criatura não desfrutava tão acentuado repouso quanto naquela hora.

Nosso instrutor recomendou a Odila preparasse o pequeno Júlio para o reencontro com a mãezinha.

Zulmira vê-lo-ia, buscando energias novas.

E enquanto nossa irmã se distanciava para o desempenho da missão que lhe fora cometida, o orientador falava otimista:

— Um sonho reconfortante é uma bênção de saúde e alegria para os nossos irmãos encarnados.

Íamos responder, mas a doente, à semelhança das pessoas na hipnose profunda, levantou-se em Espírito, contemplando-nos, surpresa.

O olhar dela, admiravelmente lúcido, falava-nos de sua ansiedade maternal.

Clarêncio afagou-a, como se o fizesse a uma filha, rogando-lhe calma e fé.

Desdobrava-se-lhe a preleção carinhosa, quando partimos.

Amparada em nossos braços, Zulmira volitou sem perceber.

Observei que o espetáculo magnificente da natureza não lhe feria a atenção. Introvertida, apenas a imagem da criancinha morta lhe ocupava a tela mental.

O Lar da Bênção mostrava-se maravilhoso.

Flores de rara beleza coloriam a estrada e embalsamavam-na de suave perfume.

Aqui e ali, doces melodias vibravam no ar.

A glória fulgurante do Céu induzia-nos à oração de reverência e louvor ao Pai Celestial, mas a pobre mulher que seguia conosco parecia insensível à excelsitude do ambiente, à face da tortura interior de que se via possuída, obrigando-me a reconhecer, mais uma vez, que o paraíso da alma, em verdade, reside onde se lhe situa o amor.

Reparei que para a devoção afetuosa de Zulmira não importava o rumo. Qualquer indagação, perante aquela ternura atormentada, resultaria inútil.

Creio que, se, em vez da refulgente luz do Lar da Bênção, apenas víssemos trevas, para aquele espírito agoniado de mãe o quadro seria de verdadeiro paraíso, desde que pudesse reter nos braços o filhinho inesquecível.

Quem poderá definir com exatidão os indevassáveis segredos que Deus colocou nos corações que amam?

Quando penetramos o berçário, onde o menino repousava, sob a abnegada vigilância de Odila e Blandina, a sofredora mãezinha tentou arrojar-se sobre a criança sonolenta, sendo delicadamente advertida por nosso orientador, que a sustentou, paternal, asseverando:

7.3
— Zulmira, não perturbes o pequenino se o amas.
— É meu filho! — bradou semidesvairada.
— Não ignoramos que Júlio se asilou na Terra em teu regaço e, por isso, fomos teus companheiros na presente viagem para que amenizes a tua dor. Entretanto, não admitas que o egoísmo te ensombre a alma!... Certamente, o carinho materno é um tesouro inapreciável; contudo, não devemos olvidar que todos somos filhos de Deus, nosso Eterno Pai! Acalma-te! Pede ao Senhor os recursos necessários para que o teu devotamento seja um auxílio positivo ao pequenino necessitado!...

Tocada por essas palavras, Zulmira desfez-se em pranto.

Enlaçada afetuosamente por Odila, que tentava soerguer-lhe o ânimo, reconheceu a primeira esposa de Amaro e recordou a luta que haviam atravessado, quando do afogamento do pequeno irmão de Evelina.

O remorso voltou a refletir-se-lhe na mente e, atribulada, exclamou:

— Odila! Perdoa-me, perdoa-me!... Agora vejo o inferno que te impus, despreocupando-me de teu filhinho... Hoje, pago com lágrimas minha deplorável displicência! Ajuda-me, querida irmã!... Sê para o meu Júlio a guardiã que não fui para o teu!

A interpelada acariciou-a compadecidamente e ajuntou:

— Tem paciência! A aflição é um incêndio que nos consome... Paguemos à vida o tributo da conformação na dor, para que sejamos efetivamente dignas do socorro celestial...

E, beijando-a nos olhos, aduziu:

— Enxuga as lágrimas que te fustigam inutilmente. A serenidade é o nosso caminho de reestruturação espiritual. Não te reportes ao passado... Vivamos o presente, fazendo o melhor ao nosso alcance.

— Agora, porém, que sofro as agruras de minha prova — acentuou Zulmira, em tom amargo —, penso em teu anjinho...

Odila, conchegando-a de encontro ao peito, conduziu-a para mais perto do menino adormecido e, indicando-o, aclarou satisfeita:

— Ouve! Meu filhinho é também o teu. Júlio de hoje é o nosso Júlio de ontem. Pesados compromissos com o pretérito obrigaram-no a aceitar as dificuldades do momento... Em nosso aprendizado de agora, teve a existência frustrada por duas vezes, a fim de valorizar, com segurança, a bênção da escola terrestre.

Ante a companheira perplexa, acrescentou convincente:

— O corpo de carne é uma veste que o nosso Júlio usou de dois modos diferentes, por nosso intermédio.

E sorrindo:

— Como vemos, somos duas mães, partilhando o mesmo amor.

Notávamos que Zulmira, admirada, estimaria algo perguntar, mas o choque da revelação como que lhe imobilizara a garganta.

No imo da alma, decerto algo lhe alterara o campo emotivo.

Secaram-se-lhe as lágrimas, ao passo que o olhar se lhe fazia mais brilhante.

Afigurava-se-nos uma estátua viva de intraduzível expectação.

Sem resistência, deixou-se conduzir pelos braços de Odila até um leito próximo, para ajustar-se ao repouso preciso.

Agora, sim — pensava, surpreendida —, começava a compreender... Júlio prematuramente expulso da experiência material pelo afogamento, ao mundo tornara em nova tentativa que redundara em frustração...

Por quê? Por quê?

O pensamento dolorido intentava penetrar os segredos do tempo, arrastando-a ao passado remoto, mas o cérebro doía-lhe, dilacerado... Realmente, não lhe seria possível naquelas circunstâncias qualquer incursão no domínio das reminiscências, mas percebia, enfim, a Bondade Eterna que reúne as almas nos mesmos laços de trabalho e esperança do caminho redentor... Lembrou a animosidade fria que experimentara por Júlio, logo após seus esponsais, e o imanifesto ciúme que nutria, diante das atenções que Amaro lhe dispensava, e reconheceu que a Providência Divina, ligando-o ao seu coração de mãe, lhe sublimara os sentimentos...

Agora sentia por ele inexpressável carinho e iluminado amor...

De espírito assim transformado, via em Odila não mais a rival, mas a benfeitora que, sem dúvida, lhe seguira de perto a transfiguração.

Enlaçou-se a ela, em pranto silencioso, qual se lhe fora filha a ocultar-se nos braços maternais.

A primeira esposa de Amaro, imensamente comovida, correspondia-lhe às manifestações afetivas, afagando-lhe os cabelos.

— Convém-lhe o repouso — afirmou Clarêncio, amigo —, qualquer recordação agora lhe agravaria o conflito mental.

Odila desembaraçou-se da companheira, deixando-a a sós no descanso justo, e seguiu-nos.

Despedindo-nos, o instrutor aconselhou fosse Zulmira mantida no berçário mais algumas horas. Desse modo, o corpo denso seria mais amplamente beneficiado pelo sono reparador.

Voltaríamos para reconduzi-la à residência terrestre, de maneira a garantir-lhe, tanto quanto possível, as melhoras gerais.

Afastamo-nos, assim, para regressar em breve.

Com efeito, transcorrido o tempo que o nosso instrutor julgou indispensável, tornamos ao Lar da Bênção para restituir nossa amiga ao ninho distante.

O relógio marcava nove da manhã, quando a enferma, sob a nossa vigilância, despertou no corpo físico.

Zulmira, retomando o equipamento cerebral mais denso, não conseguiu articular a lembrança da excursão que se lhe afigurou, então, delicioso sonho.

Guardava a impressão nítida de que revira o filhinho em "alguma parte" e semelhante certeza lhe restaurara a calma e a confiança.

Sentia-se mais leve, quase feliz.

Evelina, atendendo-lhe o chamado, identificou-lhe as melhoras, rendendo graças a Deus.

A jovem, contente, trouxe Antonina e Lisbela ao quarto. A viúva chegara cedo com a filhinha, com o melhor desejo de cooperar.

A doente saudou-as satisfeita. Recordava-se, de modo impreciso, da noite anterior e agradeceu o cuidado de que se via objeto. Aceitou o café substancioso que lhe foi trazido e tão reanimada se sentia que, sem qualquer cerimônia, confiou a Antonina as impressões renovadoras de que se via dominada.

Permanecia convicta de que vira Júlio e abraçara-o... Onde e como? Não saberia dizer. Mas o contentamento que a felicitava era bem o testemunho de que recolhera naquela noite benefícios reais.

— Felizmente, a transfusão de sangue foi coroada de pleno êxito! — exclamou Evelina, encantada.

— Sim — disse Antonina, concordando —, a providência terá sido das mais proveitosas; no entanto, estou certa de que dona Zulmira terá reencontrado o filhinho no plano espiritual, readquirindo novo ânimo para a luta.

Aquela asserção confiante foi registrada pela enferma com sincera alegria.

— A senhora julga então possível? — indagou a dona da casa, de olhos faiscantes.

— Como não? — aduziu Antonina, confortada. — A morte não existe como a entendemos. Do Além, nossos amados que partiram estendem-nos os braços. Tenho igualmente um filho na vida maior que vem sendo para mim precioso sustentáculo.

7.7 A enferma demonstrou invulgar interesse na conversação.

Há momentos na vida em que somos castigados pela fome de fé, e Antonina era uma fonte irradiante de otimismo e firmeza moral.

Evelina e Lisbela retiraram-se para o interior da casa, atentas à limpeza doméstica, e as duas amigas passaram a mais íntimo entendimento.

A colaboração de Antonina fora realmente providencial, porque, ao deixarmos o domicílio do ferroviário, reparamos que Zulmira, de alma restaurada, ao toque de novas esperanças, mostrava no rosto a tranquilidade segura de abençoada convalescença.

38
Casamento feliz

.1   A tempestade de sentimentos, no grupo de almas sob nossa observação, amainou, pouco a pouco...

Júlio, na vida espiritual, aguardava sem sofrimento a ocasião oportuna de regresso ao campo físico, e Zulmira, sob a influência benéfica de Antonina, renovara-se para a alegria de viver.

Mário Silva, transformado pela orientação da jovem viúva, afeiçoara-se a ela profundamente, habituando-se-lhe ao convívio.

Sólida amizade fizera-se entre as personagens de nossa história.

Semanalmente se visitavam, com intraduzível contentamento para Evelina, que se convertera em pupila de Antonina, tão grande a afinidade que lhes caracterizava as predileções e tendências.

O templo doméstico de Amaro transfigurara-se.

O otimismo infiltrara-se, ali, consolidando moradia nos corações.

Passeios domingueiros começavam a surgir, e Silva, agora unido a todos, parecia voltar à juventude nascente.

A camaradagem social modificara-lhe a feição.
Perdera a taciturnidade em que se mergulha a maioria dos solteirões.

Lisbela apegara-se a ele com extremado carinho, e os irmãos Haroldo e Henrique dele fizeram o confidente de todas as realizações infantis.

Várias vezes Amaro e a esposa acompanharam com amoroso respeito o culto evangélico na residência de Antonina, retirando-se edificados e felizes. Aquela moça, viúva e digna, cada vez crescia mais na admiração deles e, dentro de suas limitadas possibilidades, o ferroviário começou a fazer pela educação inicial dos meninos quanto lhe era possível, associando o enfermeiro em todos os seus empreendimentos em semelhante direção.

Certa manhã de claro domingo, achávamo-nos de passagem no domicílio de Amaro, ainda em serviço da saúde de Zulmira, quando Silva veio ao encontro do amigo para aguardar a chegada de Antonina com as crianças. Todo o grupo familiar combinara um almoço, ao ar livre, em parque próximo.

O ministro, manifestando um olhar de satisfação, comentou:

— Graças a Jesus, vemos nosso enfermeiro efetivamente modificado. Mais alegre, acessível, bem-disposto...

— Dir-se-ia que uma revolução explodiu dentro dele — asseverei, concordando.

— O amor é assim — acentuou nosso instrutor, imperturbável —, uma força que transforma o destino.

Talvez porque Hilário ensaiasse malicioso sorriso, o orientador acrescentou:

— Pude consultar o programa traçado para a reencarnação de Antonina, quando em nossas atividades de socorro ao irmão Leonardo Pires, e sei que ela se comprometeu a colaborar, maternalmente, para que ele obtenha novo corpo na Terra. Na condição de Lola Ibarruri, foi a causa do envenenamento que lhe exterminou a paz íntima, falta essa que nossa irmã, na atualidade, espera ressarcir. Acariciará por filho do coração quem lhe foi outrora companheiro de aventuras, encaminhando-lhe a educação de ordem superior...

O apontamento nos comovia.

Admirado, Hilário obtemperou:

— Silva, desse modo...

Clarêncio, contudo, interrompeu-lhe a frase, completando:

— Silva e Leonardo enlaçaram-se em complicadas dívidas um para com o outro. Desde muito tempo, cultivam o espinheiro da aversão recíproca. Induzidos agora às teias da consanguinidade, esperamos se reeduquem. Da Lei ninguém foge...

Como se a mente do ferroviário nos sorvesse a conversação, ligando-se a nós pelos fios invisíveis do pensamento, vimos Amaro bater, de leve, nos ombros do companheiro, dizendo-lhe, conselheiral:

— Escuta, Mário. Não me assiste o direito de qualquer interferência em tua vida; entretanto, sentindo-te por meu irmão, venho refletindo acerca do futuro... Não te parece que Antonina seja a mulher digna do teu ideal de homem de bem?

O interpelado corou, encabulando-se, e porque nada respondesse, o amigo prosseguiu:

— Desde o teu regresso à nossa amizade, observo com respeito crescente a distinção dessa mulher, cuja aproximação tem sido uma bênção em nossa casa. Moça ainda, pode fazer a felicidade de um lar que seria um santuário para as tuas experiências. Comove-me notar-lhe os sacrifícios de mãe jovem, quando, com a tua aliança, preservaria a própria saúde, indiscutivelmente tão preciosa a tanta gente. Já me inteirei da posição dela na fábrica em que trabalha. É querida de todos. Para muitas colegas, tem sido a enfermeira e a irmã abnegada de sempre. Seus chefes veneram-lhe a conduta irrepreensível. Isso é admirável numa viúva de apenas 32 anos. Além disso, reparo os filhinhos dela unidos ao teu coração, como se te pertencessem. Não te dói vê-la enfrentar sozinha a batalha em que se consome?

O enfermeiro, algo refeito da estupefação que lhe assomara do íntimo, replicou humilde:

— Compreendo... Tenho examinado essa possibilidade; no entanto, não sou mais uma criança...

— Por isso mesmo — revidou o amigo, encorajado —, a hora presente exige método, reconforto, proteção... Um pouso doméstico é investimento dos mais preciosos para o futuro.

— No entanto, considero que o coração no meu peito assemelha-se a um pássaro entorpecido. Sinto-me francamente incapaz de uma paixão...

— Que tolice! — ajuntou o interlocutor, bem-humorado. — A felicidade é quase impraticável nas afeições impulsivas que estouram do sentimento à maneira de champanha ilusória...

E, sorrindo, acentuou:

— O amor dos namorados, com noventa graus à sombra, por vezes é simples fogo de palha, deixando apenas cinza. À medida que se me alonga a experiência no tempo, reconheço que o matrimônio, acima de tudo, é união de alma com alma. Falo com o discernimento do homem que se consorciou por duas vezes. A paixão, meu caro, é responsável por todas as casas de boneca que oferecem por aí espetáculos dos mais tristes. A amizade pura é a verdadeira garantia da ventura conjugal. Sem os alicerces da comunhão fraterna e do respeito mútuo, o casamento cedo se transforma em pesada algema de forçados do cárcere social.

Mário ouvia as reflexões do companheiro, entre enlevado e surpreso.

Sim, pensava, desde que se aproximara de Antonina, pela primeira vez, nela sentira a mulher ideal, capaz de entender-lhe o coração.

8.5 Devotara-se a ela e aos três pequeninos com imenso carinho e inexcedível confiança.

Aquele lar generoso e singelo incorporara-se-lhe à existência.

Se fosse compelido à separação, por qualquer circunstância, indubitavelmente se sentiria lesado em suas mais caras alegrias...

Enquanto Amaro se confiava às considerações do minuto rápido, Silva ia memorando, memorando...

A figura de Antonina penetrava-lhe agora os recessos do coração. O valor e a humildade com que a nobre criatura afrontava os mais difíceis problemas tocavam-lhe as fibras recônditas do ser. O sacrifício permanente pelos filhos, realizado com sincera alegria, o desprendimento natural das futilidades que costumam cegar o sentimento feminino, a solidariedade humana com que sabia pautar as relações com o próximo e, sobretudo, o caráter cristalino de que dava provas em todos os lances da vida comum apareciam, naquele instante, em sua imaginação, de modo diferente...

Absorto, parecia contemplar as roseiras lá fora, indiferente ao mundo exterior.

Longos momentos passou, assim, revivendo e meditando o passado.

Em seguida, como se despertasse de longa fuga mental, encarou o amigo e concordou:

— Amaro, tens razão. Não posso desobedecer ao comando da vida.

Não puderam, contudo, prosseguir.

A viúva e os filhinhos chegaram, felizes, provocando a presença de Zulmira e Evelina, que vieram à recepção alegremente.

Deixamos nossos amigos na doce algazarra da intimidade doméstica e voltamos ao nosso templo de serviço.

Muitas indagações assaltavam-nos o pensamento; todavia, Clarêncio limitou-se a dizer:

— O tempo é como a onda. Flui e reflui. Da nossa sementeira havemos de colher.

Transcorridos alguns dias, amigos espirituais de Antonina trouxeram-nos as boas-novas do contrato promissor.

Mário e a jovem viúva esperavam efetuar o matrimônio em breves dias.

Visitamos o futuro casal, diversas vezes, antes do enlace, que todos nós aguardávamos, contentes.

Amaro e Zulmira, reconhecidos aos gestos de amizade e carinho que recebiam constantemente dos noivos, ofereceram o lar para a cerimônia, que, no dia marcado, se realizou com o ato civil, na mais acentuada simplicidade.

Muitos companheiros de nosso plano acorreram à residência do ferroviário, inclusive as freiras desencarnadas que consagravam ao enfermeiro particular estima.

A casa de Zulmira, enfeitada de rosas, regurgitava de gente amiga.

A felicidade transparecia de todos os semblantes.

À noite, na casinha singela de Antonina, reuniram-se quase todos os convidados, novamente.

Os recém-casados queriam orar, em companhia dos laços afetivos, agradecendo ao Senhor a ventura daquele dia inolvidável.

O telheiro humilde jazia repleto de entidades afetuosas e iluminadas, inspirando entusiasmo e esperança, júbilo e paz.

Quem pudesse ver o pequeno lar em toda a sua expressão de Espiritualidade Superior afirmaria estar contemplando um risonho pombal de alegria e de luz.

Na salinha estreita e lotada, um velho tio da noiva levantou-se e dispôs-se à oração.

Clarêncio abeirou-se dele e afagou-lhe a cabeça que os anos haviam encanecido, e seus engelhados lábios, no abençoado calor da inspiração com que o nosso orientador lhe envolvia a alma, pronunciaram comovente rogativa a Jesus, suplicando-lhe que os auxiliasse a todos na obediência aos seus Divinos Desígnios.

Lágrimas serenas velavam-nos o olhar.

Terminada a prece, Haroldo, Henrique e Lisbela, vestidos de branco, distribuíram licores e guloseimas.

Emocionados, acercamo-nos dos nubentes para as despedidas.

Abraçando-os, vimos junto deles que Evelina, no fulgor de sua primavera juvenil, aceitava a proteção carinhosa de um rapaz que a fitava, enamorado.

O ministro sorriu e explicou-nos:

— Este é Lucas, irmão de Antonina, atualmente futuroso gráfico na capital paulista, cuja bela formação espiritual associar-se-á, em breve, com a primogênita de Amaro, para a execução das tarefas que a esperam no mundo.

Cortando-nos a possibilidade de excessivas inquirições, o instrutor acrescentou:

— Tudo é amor no caminho da vida. Aprendamos a usá-lo na glorificação do bem, com o nosso próprio trabalho, e tudo será bênção.

Retiramo-nos satisfeitos.

E porque o dever nos convocava a distância, seguimos à frente, tentando assimilar com o nosso abnegado orientador a preciosa conjugação do verbo servir.

39
Ponderações

1 Decorrido um mês sobre os esponsais de Silva, certa noite, por solicitação de Odila, fomos em busca de Zulmira e Antonina para uma reunião íntima, no Lar da Bênção.

Ambas, alegres, revelavam-se enlevadas fora do corpo denso.

Enlaçadas e felizes, contemplavam a Terra e o Céu, tocadas de sublime esperança.

Reduzida assembleia de amigos aguardava-nos no domicílio de Blandina, em meio de cativantes manifestações de carinho e de apreço.

Dentre todas as afeições presentes, sobrelevava-se irmã Clara, que viera igualmente ter conosco.

As duas excursionistas, ao contato daquele ambiente de genuína fraternidade, rendiam-se ao êxtase da paz e da alegria.

Afigurava-se-lhes haver encontrado o paraíso, tão pura se lhes desenhava no semblante a exaltação interior.

No recinto amplo que Blandina adornara de flores, permutavam-se frases amigas e consoladoras impressões.

Multiplicadas notas de beleza enriqueciam a conversação, quando Antonina, mais lúcida que a companheira, indagou pela razão do favor de que se viam aquinhoadas.

O reconhecimento transbordava-lhes do coração, à maneira do perfume a evadir-se do frasco.

Clara afagou-a de leve e explicou maternalmente:

— Filhas, em nossa romagem na vida, atravessamos épocas de sementeira e fases de colheita. Na missão da mulher, até agora, vocês receberam do tempo os choques e os enigmas plantados a distância. Com a humildade e a fé, com o bom ânimo e o valor moral, venceram árduos conflitos que lhes fustigavam as melhores aspirações. Foram dias obscuros do pretérito refletidos no presente; contudo, agora, asserenou-se-lhes a estrada. A paciência a que se devotaram evitou a formação de nuvens da revolta, e o céu se fez, de novo, claro e alentador. É como se o dia renascesse, resplendente de luz. O campo da existência exige mais trabalho, e o tempo de semear ressurge alvissareiro.

A palestra em torno cessara de repente.

Os circunstantes buscavam ouvir a benfeitora, significando, com o silêncio, que nela se encarnava para nós a sabedoria.

Depois de ligeiro intervalo, nossa amiga continuou:

— Agora, que a oportunidade favorece a renovação, é preciso saber reconstruir o destino. Não olvidemos. A vida reduz-se a triste montão de trevas, quando não se faz plena de trabalho. Fujamos à velha feira da lamentação, na qual a inércia vende os seus frutos amargosos! Para levantar, porém, a escada de nossa ascensão, é imprescindível banhar o espírito, cada dia, na fonte viva do amor, do amor que recompensa a si mesmo com a alegria de dar! O Pai Celeste é onipresente, por intermédio do amor de que satura o Universo. O sentimento divino é a corrente invisível em que se equilibram os mundos e os seres. Do Trono excelso nasce o eterno manancial que sustenta o anjo na altura e alimenta o verme no abismo. A mulher é uma taça em que o Todo-Sábio deita a água milagrosa do amor com mais intensidade, para que a vida se engrandeça. Irmãs, sejamos fiéis ao mandato recebido. Em muitas ocasiões, quando nos prendemos à lama do egoísmo ou ao visco do ódio, poluímos o líquido sagrado, transformando-o em veneno destruidor. Guardemos cautela. O preço da verdadeira paz reside no sacrifício de nossas existências. Não há sublimação sem renúncia no castelo da alma, como não há purificação no cadinho, sem o concurso do fogo que acrisola os metais!...

Clara fitou Antonina, de modo particular, e aduziu:

— Filha, nossa Zulmira compreende hoje, sem necessidade de maior incursão no passado, o santo dever de asilar o pequeno Júlio no santuário materno...

Percebemos que a instrutora, registrando o imperativo do descanso mental para a segunda esposa do ferroviário, que vinha de terminar longas refregas na preservação da própria saúde, buscava poupar-lhe exercícios mnemônicos.[14]

— Nossa amiga — prosseguiu, indicando Zulmira com o olhar — está consciente de que a maternidade a espera de novo, em tempo breve... E você?

Com a irradiante bondade que habitualmente lhe marcava a expressão fisionômica, acentuou:

— Recorda-se das experiências antigas e permanece atenta às razões que lhe inspiraram o segundo matrimônio?

Ante a surpresa que se estampou no semblante da interpelada, a orientadora, num gesto que nos era conhecido, nas operações magnéticas de Clarêncio, acariciou-lhe a fronte, de leve, e repetiu:

— Lembre-se! Lembre-se!...

---

[14] N.E.: Relativos à memória.

Bafejada pelo poder de irmã Clara, em determinados 39. centros da memória, Antonina fez-se pálida e exclamou, controlando a própria emoção:

— Sim, sou eu a cantora! Revejo, dentro de mim, os quadros que se foram!... Os conflitos no Paraguai!... Uma chácara em Luque!... A família ao abandono!... José Esteves, hoje Mário... Sim, percebo o sentido de minhas segundas núpcias!...

Denotando aflição no olhar, acrescentou:

— E Leonardo? Onde está Leonardo, o infeliz?

— Não precisa dilatar reminiscências — disse Clara, bondosa —; não nos achamos num gabinete de experimentos, e sim numa reunião fraternal.

Fitando-a significativamente, ajuntou:

— Basta que você se recorde.

Em seguida, repartindo a atenção entre as duas, prosseguiu:

— Brevemente, vocês serão chamadas a novo esforço, no apostolado materno. Zulmira recolherá o nosso Júlio na concha do coração, e você, Antonina, restituirá a Leonardo Pires, seu avô e associado de destino, o tesouro do corpo terrestre. No santuário doméstico, as afeições transviadas se recompõem, a fim de que possamos demandar o futuro, ao clarão da felicidade. Filhas, ninguém avança sem saldar as próprias contas com o passado. Paguemos, desse modo, os débitos que nos aprisionam aos círculos inferiores da vida, aproveitando o tempo de detenção no resgate, em maior aprimoramento de nós mesmas. Amemos, aperfeiçoando-nos! Identifiquemos no lar humano o caminho de nossa regeneração! A família consanguínea na Terra é o microcosmo de obrigações salvadoras em que nos habilitamos para o serviço à família maior que se constitui da Humanidade inteira. O parente necessitado de tolerância e carinho representa o ponto difícil que nos cabe vencer, valendo-nos dele para melhorar-nos em humildade e compreensão. Um pai incompreensivo, um esposo áspero ou um filho de condução inquietante simbolizam linhas de luta benéfica, em que podemos exercitar a paciência, a doçura e o devotamento até o sacrifício!... Especialmente, no tocante aos filhos, não nos esqueçamos de que pertencem a Deus e à vida, acima de tudo!... Na esfera carnal, a Providência Divina nos sela a memória, no favor do renascimento, envolvendo-nos com o sopro renovador de abençoada esperança! Por isso mesmo, não nos cabe olvidar que os filhos são sempre laços preciosos da existência, requisitando-nos equilíbrio e discernimento em todas as decisões... Para desobrigar-nos da grande tarefa que a maternidade nos impõe, é imprescindível entender-lhes o psiquismo diferente do nosso, a exigir, muitas vezes, um tipo de felicidade que não se harmoniza com o nosso modo de ser. Saibamos, assim, prepará-los, sem egoísmo, para o destino que lhes compete! O carinho escravizante assemelha-se a um mel envenenado, enredando-nos na sombra. Conservemos nosso espírito arejado pela justiça, para que a nossa afetividade seja uma bênção com a possibilidade de educar os que nos cercam, na escola do trabalho salutar!...

.5   Na pausa que surgiu espontânea, Zulmira indagou com simplicidade:

— Abnegada benfeitora, como agir para solucionar os problemas com segurança?

— Vocês superaram dias alarmantes de crise espiritual — informou a orientadora, prestimosa — e conquistaram o ensejo de reestruturação do próprio destino. Agora, repitamos, é tempo de semear. Valorizemos a oportunidade de reaproximação. São vocês dois núcleos de força, suscetíveis de operar valiosas transformações nos grupos domésticos a que se ajustam. Façamos da amizade o entendimento fraterno que tudo compreende e tolera, movimenta e ajuda, na extensão do Sumo Bem. A vizinhança e a convivência, no fundo, são dons que o Senhor nos concede em benefício de nosso próprio reajuste.

Porque Zulmira e Antonina ensaiassem perguntas novas, Clara acentuou:

— Não temam. A prece é o fio invisível de nossa comunhão com o Plano Divino e, à luz da oração, viveremos todos juntos. Em todas as dúvidas, prefiramos para nós a renunciação construtiva. Situar a responsabilidade de nosso lado é facilitar a solução dos problemas.

Sorridente, rematou:

— Não nos esqueçamos do privilégio de servir.

Logo após, o pequeno Júlio foi trazido ao recinto por vasto cortejo de gárrulas crianças.

Risos e lágrimas se misturaram no louvor à Bondade Divina.

Depois de algumas horas consagradas ao reconforto, escoltamos, de novo, as duas mães, reconduzindo-as ao campo físico para o sublime labor no lar terrestre.

40
Em prece

Um ano depois do casamento de Antonina, dirigimo-nos todos juntos à residência do ferroviário, na qual tantas vezes nos reuníramos entre a prece e a expectação.

A vida marchara como sempre...

Júlio e Leonardo haviam renascido em paz, quase que ao mesmo tempo, trazendo ao mundo elevados programas de serviço. Recém-chegados à Terra, sorriam ingenuamente para nós, conchegados ao colo materno.

Amaro e Zulmira, Silva e Antonina, cônscios das obrigações que haviam assumido, prosseguiam juntos, entrelaçados na mesma compreensão fraternal.

O singelo domicílio mostrava-se magnificamente florido, superlotado de amigos sorridentes.

Lucas e Evelina celebravam os esponsais.

Nos dois planos, entre encarnados e desencarnados, tudo era esperança e alegria, paz e amor.

Os noivos fitavam-se venturosos, e Odila, na função de sacerdotisa do lar, ia e vinha, pondo e dispondo na direção do acontecimento.

Entardecia, quando o juiz, com a felicidade de todos, lido o contrato de matrimônio, pronunciou o clássico "declaro-vos casados em nome da lei".

Oscularam-se os nubentes com inexcedível afeto e vimos espantados que Odila, em muda oração, se transfigurava, coroando-se de luz. Desvelou os olhos que se nos afiguraram mais lúcidos e contemplou a filha embevecidamente.

Obedecendo, porém, a secreto impulso, em vez de caminhar na direção de Evelina, dirigiu-se para Zulmira, enlaçando-a em lágrimas.

Havia naquele gesto tanto carinho natural e tanto reconhecimento espontâneo que intensa emotividade nos tomou de assalto. Transfundiam-se ali dois corações maternos, na mesma vibração de paz, haurida na vitória interior pelo dever bem cumprido.

Envolta na faixa de ternura em que se via mergulhada, a segunda esposa de Amaro começou a chorar, possuída de inexprimível contentamento, como se inarticulada melodia do Céu lhe invadisse, por inteiro, o coração.

Ali mesmo, homem tocado de fé viva, o dono da casa rogou a Antonina pronunciasse o agradecimento a Jesus.

A esposa de Silva não vacilou.

Cerrando as pálpebras, parecia procurar-nos em espírito, qual antena vibrátil, atraindo a onda sonora.

Clarêncio abeirou-se dela e, tocando-lhe a fronte com a destra, entrou em meditação.

Suavemente impulsionada pelo ministro, nossa amiga orou com sentida inflexão de voz:

Amado Jesus, abençoa a nossa hora festiva que te oferecemos em sinal de carinho e gratidão.
Ajuda aos nossos companheiros que hoje se consorciam, convertendo-lhes a esperança em doce realidade.
Ensina-nos, Senhor, a receber no lar a cartilha de luz que nos deste no mundo — generosa escola de nossos corações para a vida imortal.
Faze-nos compreender, no campo em que lutamos, a rica sementeira de renovação e fraternidade em que a todos nos cabe aprender e servir.
Que possamos, enfim, ser mais irmãos uns dos outros, no cultivo da paz, pelo esforço no bem.
Tu que consagraste a ventura doméstica, nas bodas de Canaã, transforma a água viva de nossos sentimentos em dons inefáveis de trabalho e alegria.
Reflete o teu amor na simplicidade de nossa existência, como o Sol se retrata no fio d'água humilde.
Guia-nos, Mestre, para o teu coração que anelamos eterno e soberano sobre os nossos destinos, e que a tua bondade comande a nossa vida é o nosso voto ardente, agora e para sempre. Assim seja.

Calara-se Antonina.

Doce exaltação emotiva pairava em todos os semblantes.

Odila, sensibilizada, reunia Amaro e Zulmira nos braços, quais se lhe fossem filhos do coração.

Fitei a esposa de Silva, de quem o ministro se afastara, e lembrei a noite em que lhe visitei o domicílio pela primeira vez.

Nunca me esqueci da excursão em que fomos designados para acompanhá-la em visitação ao filhinho, quando ignorávamos totalmente a importância de sua participação no drama que iríamos viver.

Dirigi-me ao instrutor e indaguei se ele, Clarêncio, conhecia a posição de nossa amiga, ao tempo de nosso primeiro contato.

— Sim, sim... — respondeu gentil —, mas não lhes dei a conhecer antecipadamente a significação dela no romance vivo que estamos acompanhando, porque todos nós, meu amigo, precisamos reconhecer que o trabalho é a nossa lição. Movamos a mente no serviço que nos compete e adquiriremos a chave de todos os enigmas.

O apontamento era dos mais expressivos, mas não pude delongar a conversação, uma vez que irmã Clara, agora abraçada a Odila, convidava-nos ao regresso.

Entre adeuses cariciosos, Lucas e Evelina haviam tomado o auto que os conduziria a experiências novas na capital bandeirante.

A festa alcançara o fim...

Ao lado de nosso orientador, perguntei reverente:

— Nossa história terminará, assim, com um casamento risonho, à moda de um filme bem acabado?

Clarêncio estampou o sorriso de sua velha sabedoria e falou:

— Não, André. A história não acabou. O que passou foi a crise que nos ofereceu motivo a tantas lições. Nossos amigos, pelo esforço admirável com que se dedicaram ao reajuste, dispõem agora de alguns anos de paz relativa, nos quais poderão replantar o campo do destino. Entretanto, mais tarde, voltarão por aqui a dor e a prova, a enfermidade e a morte, conferindo o aproveitamento de cada um. É a luta aperfeiçoando a vida, até que a nossa vida se harmonize, sem luta, com os desígnios do Senhor.

O ministro não logrou prosseguir.

Nossa caravana, constituída por dezenas de companheiros, iniciara a volta.

A viagem, diante do firmamento que acendia flamejantes lumes, não podia ser mais bela...

Chegados, porém, ao Lar da Bênção, notamos que Odila chorava copiosamente.

Aquela alma varonil de mulher vencera a batalha consigo mesma; no entanto, não parecia satisfeita com o próprio triunfo. Clara conseguira-lhe brilhante posição de trabalho nas esferas mais altas; contudo, nossa heroína revelava-se em penosa consternação.

Penetrando o santuário de Blandina, onde tantas vezes nos reuníramos para examinar os problemas que nos afligiam de perto, o ministro abraçou-a e recomendou, paternal:

— Odila, enquanto celebramos tua vitória, dize que Céu procuras!

Ela caminhou para irmã Clara e osculou-lhe a destra, num gesto mudo de reconhecimento e, depois, voltando-se para o nosso instrutor, respondeu com humildade:

— Devotado benfeitor, meu lar terrestre é o meu paraíso...

— Mas não ignoras que o domicílio do mundo não te pertence mais.

— Sim — concordou a interlocutora, respeitosa —, sei disso; entretanto, desejo servir a ele, sem que ele seja meu... Amo meu esposo por inesquecível companheiro da vida eterna, abençoando a admirável mulher a quem ele agora pertence e que passei a querer por filha de minha ternura... Amo meus filhos, apesar de saber que não podem presentemente sentir o calor de meu coração... Deus sabe que hoje amo sem o propósito de ser amada, que me proponho oferecer-me sem retribuição, a fim de aprender com Jesus a dar sem receber...

A emoção embargou-lhe a voz.

De nosso lado, tínhamos nossos olhos marejados de pranto.

Visivelmente comovido, Clarêncio levantou-lhe a fronte submissa, afagou-lhe os cabelos e, colocando-lhe uma flor de luz sobre o peito, exclamou:

— Onde permanece o nosso amor, aí fulgura o Céu que sonhamos. Mereces o paraíso que procuras. Retorna, Odila, ao teu lar quando quiseres. Sê para o teu esposo e para as almas que o seguem o astro de cada noite e a bênção de cada dia! O amor puro outorga-te esse direito. Volta e ama... E, quando te ergueres do vale humano, teu coração será como faixa de sol, trazendo ao Cristo os corações que pastorearás no campo imenso da vida!

Odila ajoelhou-se e beijou-lhe as mãos veneráveis.

Nesse instante, funda saudade assomou-me à alma opressa.

Experimentei a estranha sensação do pai que busca inutilmente os filhos arrebatados ao seu carinho. Ave distante da paisagem que a vira nascer, vi-me atormentado pelo anseio de recuperar, de imediato, o meu ninho...

Lágrimas quentes derramavam-se de meu coração pela concha dos olhos e, temendo perturbar a harmonia reinante, demandei o jardim próximo e, sozinho, fitei o firmamento, pintalgado de estrelas...

O vento que soprava célere parecia dizer-me: "Confia!..." O perfume das flores, de passagem por mim, apelava em silêncio: "Não te detenhas!" E as constelações faiscantes, pendendo da altura, davam-me a impressão de acenos da Luz Eterna, concitando-me sem palavras: "Luta e aperfeiçoa-te! A plenitude do teu amor brilhará também um dia!...".

Então, numa prece de agradecimento ao Pai Celestial, percebi que meu espírito pacificado sorria, de novo, ao toque inefável de sublime esperança.

40.

Índice geral[15]

Alma
  abafador das moléstias – 27.2
  amor e paraíso – 37.2
  arquivos de imagens – 13.2
  ascensão – 8.5
  Céu, Inferno e perturbações – 11.6
  corpo físico, reflexo – 29.6
  Freud e problemas – 13.3
  hereditariedade e necessidades
    – 12.4, 29.6
  impulsos infelizes – 1.3
  interesse pela luta digna – 12.3
  lágrimas de desesperação – 7.4
  lar, ninho – 24.5
  reconforto da *, alimento
    do coração – 12.3
  reencarnação e patrimônios – 10.6
  sono, imantação do coração – 15.6

Altruísmo
  afetividade de hoje e * de
    amanhã – 33.8

Amaro
  Armando reencarnado – 17.6
  complicados compromissos – 2.5
  encontro de * e Júlio em sonho – 33.5
  encontro de * e Odila na
    vida espiritual – 33.5
  Mário Silva – 15.4, 16.3, 32.2

Odila, esposa – 2.3, 3.2,
  24.3, 32.7, 33.5
oração – 32.7
pai de Evelina e Júlio – 2.3
perseguição de Júlio – 33.4
remorso – 33.10
sentimento puro – 25.2
tela mnemônica – 20.2
Zulmira, Júlio e * no passado – 19.4

Amizade
  cultivo da * fora da família
    consanguínea – 27.4
  garantia da ventura conjugal – 38.4
  reencarnação e concurso – 27.4

Amor
  dívidas para com os pais – 6.5
  egoísmo – 8.5
  paraíso da alma – 37.2

Anjo da guarda
  conceito – 33.7
  considerações – 33.6
  escolas religiosas – 33.8
  Espíritos familiares – 33.8
  Espíritos tutelares – 33.6
  gregos – 33.8
  romanos – 33.8

---

[15] N.E.: Remete à numeração presente à margem das páginas.

Índice geral

Antipatia
    perda de tempo – 27.5
    semeando espinheiros – 22.5

Antonina
    culto evangélico – 31.6
    desdobramento – 8.1, 13.5
    dívidas do passado – 6.2
    Haroldo, filho – 6.5
    Henrique, filho – 6.3
    incursão no passado – 39.4
    interpretação evangélica do Espiritismo – 36.3
    Lar da Bênção – 9.1, 12.2, 39.1
    Leonardo Pires, avô desencarnado – 7.6, 13.5
    Leonardo Pires, filho reencarnado – 39.4, 40.1
    Lisbela, filha – 6.3
    Lola Ibarruri reencarnada – 13.5
    Marcos, filho desencarnado – 6.2, 9.1-9.2
    oração – 40.2-40.3
    posição vibratória do passado – 13.5
    razões do segundo matrimônio – 39.3
    reaproximação entre * e Mário Silva – 35.2
    recordações do passado – 39.4
    reencarnação da alma – 35.5
    virtudes – 38.5

Armando
    Amaro reencarnado – 17.6
    companheiro de Júlio – 17.3, 17.5
    Lina Flores – 17.5, 18.4, 19.3

Arrependimento
    queda do padrão vibratório – 4.3

Assistência espiritual
    arquivos mentais – 13.2
    benefícios – 5.3

Atmosfera marinha
    auxílio magnético – 5.2
    cura do câncer – 5.2
    movimentação da vida espiritual – 5.1
    reservatório de forças – 5.2
    vitalidade da Natureza – 5.2

Augusto, benfeitor
    irmã Blandina – 9.3

Blandina, irmã
    dívidas morais – 10.7
    Júlio – 9.2, 19.2, 20.3
    lar – 9.2
    Mariana, avó – 9.2

Cartilagem aritenoide
    significado do termo – 9.4, nota

Casamento
    Lucas, Evelina – 40.1
    Mário Silva, Antonina – 38.6
    união de alma a alma – 38.4
    vibrações do passado e anseio – 33.6

Caxias, marquês de
    José Esteves – 17.3, 18.3

Centro cardíaco
    considerações – 20.5

Centro cerebral
    considerações – 20.5

Centro coronário
    considerações – 20.5

Centro de força
    Clara e equilíbrio – 23.2
    desarmonia – 20.5
    Leis Divinas e harmonia – 21.2
    mente e desarmonia – 20.7
    perispírito – 20.4

Centro esplênico
    considerações – 20.5

Centro gástrico
    considerações – 20.5

Índice geral

Centro genésico
  considerações – 20.5

Centro laríngeo
  considerações – 20.5
  Júlio e perturbação – 20.7

Céu
  Inferno, * e perturbações
    para a alma – 11.6

Choque biológico
  reencarnação, desencarnação – 29.2

Ciência humana
  cirurgia psíquica – 13.3

Cirurgia psíquica
  ciência humana – 13.3

Ciúme
  aflitiva fogueira depois
    da morte – 23.4
  Odila – 23.4, 24.4

Clara, irmã
  centro de milagroso arco-íris – 23.2
  elevado plano de consciência – 23.2
  equilíbrio dos centros de força – 23.2
  mágoas imanifestas – 22.7
  Odila – 3.5, 22.1, 23.2
  poder da renovação – 3.5
  transfiguração – 23.1

Clarêncio, ministro
  densificação do perispírito – 7.6
  exame de gráfico – 2.1
  força magnética – 22.2
  Hilário, irmão – 1.3
  oração – 28.3
  passe magnético – 30.6
  prece, invocação – 1.3
  Templo do Socorro – 1.1, nota

Cólera
  curto-circuito de forças
    mentais – 22.4
  material isolante da oração – 22.4

Complexo de culpa
  Mário Silva – 34.8
  suicídio – 20.3
  Zulmira – 25.3, 34.2

Complexo de fixação
  Mário Silva – 16.3

Consciência
  aprimoramento de qualidades – 1.2
  Clara e elevado plano – 23.2
  instalação do mal – 20.3

Cornélio, benfeitor
  irmã Blandina – 9.3

Corpo físico
  abafador das moléstias da alma – 27.2
  construção – 21.3
  Espírito encarnado e
    conhecimento – 21.1
  impurezas do perispírito – 33.1
  influência do perispírito – 5.2
  isolante das energias
    desequilibradas – 3.4
  Júlio e menosprezo – 20.7
  modificação – 13.4
  padrão vibratório – 13.4
  peso do * e cruz de carne – 8.2
  reflexo da alma – 29.6
  simbologia do carvão – 10.6

Criação mental
  corpo físico, perispírito – 20.6

Criança
  crescimento mental da *
    desencarnada – 29.5
  responsabilidade dos pais e
    desencarnação – 10.3
  limbo – 10.4

Índice geral

problema aflitivo da *
    desencarnada – 10.1

Cromossomo
    reencarnação e interferência – 28.4

Crupe
    conceito – 31.3, nota
    Júlio e suspeita – 31.2-31.3

Culpa
    fogo consumidor – 14.1
    remorso – 14.1

Culto evangélico
    Antonina – 31.6

Cura
    origem – 21.4

Desencarnação
    choque biológico – 29.2
    conflito biológico – 10.4
    criança e * fora do dia indicado – 10.3
    superação das dificuldades da
        * prematura – 10.4

Dilúculo
    significado do termo – 8.2, nota

Diplofonia
    conceito do termo – 22.6, nota

Dipsômano
    conceito – 12.4, nota
    Espírito desencarnado – 12.4
    origem do hábito – 12.4

Dor
    abençoado remédio – 21.5
    paralisia – 14.1

Egoísmo
    amor – 8.5
    devoção das mães – 33.8
    Odila – 2.3
    Zulmira – 3.2, 37.3

Embrião
    influência da mente na
        formação – 29.6

Encarnação
    velhos compromissos – 8.2

Enfermidade
    bênção da * longa – 5.4
    função específica – 33.2
    importância da * na esfera
        humana – 21.2
    Odila e * após a morte – 27.1-27.2
    provas, extensão da * e cura – 5.3
    psiquismo e origem da *
        humana – 21.4
    sobrevivência da * no
        perispírito – 21.5

Enfermidade congênita
    processos dolorosos – 10.5

Escola das Mães
    Odila, Júlio – 26.4, 27.1

Espiritismo
    Amaro, Zulmira – 38.2
    Antonina e interpretação
        evangélica – 36.3

Espírito
    agregação da matéria e impulso – 29.6
    características morais e
        ascendentes – 2.1
    governo da própria
        reencarnação – 29.5
    reajustamento moral – 1.4

Espírito desencarnado
    análise do perispírito – 21.1
    apreciação do corpo físico – 21.1
    obrigação de renovação – 25.1

Espírito encarnado
    conhecimento do corpo físico – 21.1

Índice geral

Espírito puro
  transferência para as esferas – 21.4

Espiritualidade
  reencarnação e programa – 10.3

Esquecimento
  bênção do * transitório – 8.6

Esteves, José
  conselheiro Paranhos – 17.3
  desencarnação – 7.7, 17.5
  frei Fidélis – 17.1
  Leonardo Pires – 7.2, 7.5,
    14.5, 17.1, 20.3
  Lina Flores, esposa – 17.3, 18.1
  Lola Ibarruri – 7.2
  Mário Silva reencarnado
    – 15.2, 17.1, 17.5
  marquês de Caxias – 17.3
  reencarnação – 7.7

Eulália, irmã
  ministro Clarêncio – 2.3

Evangelho
  Henrique e estudo – 6.3, 31.6

Evelina
  aflitivo apelo – 2.3
  Amaro, pai – 2.3
  casamento de Lucas – 40.1
  necessidade de ascensão – 2.5
  Odila, mãe – 2.3
  oração refratada – 2.4, 15.6, 20.2
  reencarnação – 2.3, 2.5
  reencontro de *, Espírito,
    e Odila – 25.3
  refazimento psíquico – 3.5
  socorro espiritual – 2.3-2.4
  Zulmira, madrasta – 2.3

Exaustor de fluidos
  organismo materno – 30.6

Exemplo
  fulcro de atração e nosso – 22.5

Família consanguínea
  cultivo da amizade – 27.4
  obrigações salvadoras – 39.4

Família espiritual
  constelação de inteligências – 33.8

Fatalidade
  reencarnação e * relativa – 2.2

Fé
  salva-vidas dos náufragos – 7.5

Fidélis, frei
  José Esteves – 17.1

Flores, Lina
  Armando – 18.4, 19.3
  depoimento – 19.2
  desencarnação – 18.5
  esposa de José Esteves – 17.3
  Júlio – 17.4, 18.1
  reencontro na vida espiritual – 18.5
  Zulmira reencarnada – 19.3

Freud
  problemas da alma – 13.3
  vislumbre da verdade – 13.3, nota

Garrotilho
  significado do termo – 31.3, nota

Guerra do Paraguai
  recordações ao tempo – 34.9

Haroldo
  culto evangélico – 31.6
  filho de Antonina – 6.5
  Mário Silva – 31.5-31.6
  ponderação – 6.6
  rancor – 6.5

Henrique
  estudo do Evangelho – 6.3, 31.6

Índice geral

filho de Antonina – 6.3-6.4
Mário Silva – 31.5
oração de encerramento – 43
oração inicial – 6.7

Herança
lei – 12.4

Hereditariedade
efeitos da * biológica – 12.4
gênios da Humanidade – 12.4
necessidades da alma – 29.6
princípios – 12.4
qualidades da alma – 12.5
reencarnação de Júlio – 29.5

Hilário, irmão
médico encarnado – 2.2
oração refratada – 2.2, 2.4
prece – 1.3

Humanidade
hereditariedade e gênios – 12.4

Ibarruri, Lola
Antonina reencarnada – 13.5
José Esteves – 7.2, 17.1

Igreja
culto público – 11.3
missas – 11.4
mundo moderno e * católica – 11.6
processo de auxílio – 11.3
questão de patrocínio – 11.5
renovação espiritual – 11.5

Indignação
abstenção aos atos reprovados – 22.5
estado da alma – 22.4
necessidade – 22.5
vigiar – 22.4
violência, dignidade – 22.5

Infanticídio
prática – 10.2

Inferno
Céu, * e perturbações para a alma – 11.6

Inimigo
definição – 31.7

Instinto
renovação – 21.3

Inteligência
perispírito e rudimentos – 21.3
renovação – 21.3

Invocação
prece – 1.3

Jacó
escada – 1.2

Jesus
perdão – 6.4

Júlio
alimentação dos pensamentos – 33.4
Amaro e perseguição – 33.4
Amaro e Zulmira, pais de * reencarnado – 27.6, 39.4, 40.1
Blandina – 9.2, 19.2, 20.3, 26.5
carinho paterno – 3.2, 4.2
companheiro de Armando – 17.3, 17.5
comportamento de * desencarnado – 9.3
compromissos graves – 9.5
comunhão fisiopsíquica de Zulmira – 29.4
desencarnação – 2.3, 3.2, 4.3, 32.8, 33.9
encontro de Amaro e * em sonho – 33.5
Escola das Mães – 26.4, 27.1
estágio espiritual – 6.1
estágio nas regiões inferiores – 28.1
filho de Amaro e Odila – 2.3
irmão de Evelina – 2.3

Índice geral

Lar da Irmã Blandina – 9.2
Lina Flores – 17.4, 18.1, 18.2
Mariana – 9.3
Odila – 26.3, 26.5
paixão – 18.2
perturbação no centro laríngeo – 20.7
planejamento da reencarnação – 33.2
planificação do serviço
    reencarnatório – 28.1
reabilitação – 28.2, 33.4
recuperação – 33.3
reencarnação – 9.5, 30,6, 40.1
saúde débil – 31.2
serenidade de *, Espírito – 33.1
sofrimento de * na vida
    espiritual – 9.5
suicida reencarnado – 4.5
suicídio – 9.5, 17.5, 18.4
suspeita de crupe – 31.3

Lar
    extensão da obra do amor – 23.4
    ninho das almas – 24.5

Lar da Bênção
    André Luiz – 9.1, 20.3, 27.5
    Antonina – 9.1, 12.2, 39.1
    Marcos – 9.2
    Odila – 26.2
    visita aos filhos desencarnados – 9.1
    Zulmira – 27.5, 37.2, 39.1

Lar da Irmã Blandina
    curso de alfabetização – 11.2
    Júlio – 9.2
    missão da maternidade – 11.1

Lei biológica
    nascimento, renascimento – 2.1
    responsabilidade de execução – 2.1

Lei de aglutinação da matéria
    governo da própria
        reencarnação – 29.5

Lei Divina
    harmonia do centro de força – 21.2

Lepra
    considerações – 10.5, nota

Limbo
    criança – 10.4

Lipotimia
    significado do termo – 3.4, nota

Lisbela
    filha de Antonina – 6.3
    oração – 6.3
    pneumonia diagnosticada – 31.4

Livre-arbítrio
    realidade do * relativo – 2.2

Loucura
    ódio – 19.6

Lucas
    casamento de Evelina – 38.7, 40.1
    irmão de Antonina – 38.7

Luiz, André
    análise do gráfico – 2.4
    densificação do perispírito – 7.1
    viagem assistencial – 2.4

Mal
    bem infinito – 1.4
    instalação do * na consciência – 20.3

Mapa de trabalho
    complexidade – 2.2

Mapa do destino
    construção – 8.6

Marcos
    desencarnação – 6.2, 6.6
    filho de Antonina – 6.2

Mariana
    avó da irmã Blandina – 9.2

Índice geral

Júlio – 9.3, 20.3
templo católico – 11.2

Maternidade
    enxertia mental – 30.2
    sagrado serviço espiritual – 28.6
    sinais de nascença – 30.3
    transformação do sistema
        nervoso – 30.4

Médico
    compreensão, amor e *
        do futuro – 13.3
    facilidades futuras e * terrestre – 13.3

Megalomania intelectual
    considerações – 10.2

Memória
    desenvolvimento – 8.5
    imagens do Espírito – 13.2
    reavivamento e
        empalidecimento – 14.4
    regressão – 13.2

Mente
    desequilíbrios na * materna – 30.4
    escaninhos – 13.2
    gerador de força – 22.3
    influência da * na formação
        do embrião – 29.6
    perispírito – 12.5
    reequilíbrio – 13.3
    trabalho da * no espaço e
        no tempo – 20.6
    vícios – 21.4

Minervina
    mãe de Mário Silva – 15.6

Miniaturização
    perispírito – 29.2

Missa
    cooperação espiritual e valor – 11.4

Mnemônico
    significado do termo – 39.3, nota

Moisés
    lei – 6.6

Mongolismo
    considerações – 10.5, nota

Mundo Espiritual
    dilatação do contato – 12.3

Odila, verdugo
    Amaro – 2.3, 3.2, 24.3, 33.5
    apego ao sexo – 4.5
    assistência magnética – 24.2
    centro genésico – 4.5
    ciúme – 23.4, 24.3
    egoísmo – 2.3
    encontro de * e Amaro na
        vida espiritual – 33.5
    enfermidade após a morte – 27.2
    Escola das Mães – 26.4, 27.1
    intervenção no campo espiritual – 3.5
    irmã Clara – 3.5, 22.1, 23.3
    Júlio – 26.3
    Lar da Bênção – 26.2
    mãe de Evelina e Júlio – 2.3
    pedido de socorro – 34.1
    perda de peso perispiritual – 26.2
    primeira esposa de Amaro – 2.3, 3.2
    qualidades morais – 4.5
    reencontro de * e Evelina – 25.3
    Templo do Socorro – 27.1
    transfiguração – 40.2
    Zulmira – 3.2, 4.1, 5.4, 23.1

Ódio
    loucura – 19.6

Oração
    ação e reação – 1.2
    Amaro – 32.7
    Antonina – 40.2
    auxílio – 6.7

cólera e material isolante – 22.4
comunhão com o plano divino – 39.6
conceito de * refratada – 2.2, 2.4
cura e importância – 5.2
Evelina e * refratada – 2.4, 15.5
Henrique e * de encerramento
  – 6.7, 31.6
influência pelo culto – 11.3
intercâmbio – 11.3
Lisbela e * inicial – 6.3
ministro Clarêncio – 28.3
potencial de frequência – 1.2
remédio das moléstias íntimas – 31.9

Orléans, D. Gastão de, príncipe
Leonardo Pires – 7.4-7.6

Oxigênio
alimento do perispírito – 5.2

Pais
compaixão e sacrifício – 12.5
qualidades da alma – 12.5

Paixão
imantação à Terra e * inferior – 26.2

Palavra
energias elétricas – 22.3
importância da voz a serviço – 22.3

Paranhos, Silva, conselheiro
José Esteves – 17.3, 18.2

Passado
Antonina e posição vibratória – 13.5

Passe magnético
análise mental – 13.2

Patogenia
estudos do perispírito – 10.6

Paula, madre
enfermagem, purgatório
  benigno – 34.5

Paz
preço da verdadeira – 39.2

Pensamento
alimentação do * de Júlio – 33.4
destino e forma – 4.4
influxo vibratório – 20.4
invocação e poder – 16.2
viagem com a rapidez – 8.2

Perdão
Jesus – 6.4
Mário Silva e exercício – 31.5

Perispírito
alteração na saúde e atuação – 5.2
analogia do pêssego – 29.4
centros de força – 20.4
condensação e sutileza – 20.4
constituição – 29.2
construção – 21.3
corpo físico e impurezas – 33.1
densificação – 7.1, 7.6, 12.4, 16.3
Espírito desencarnado e análise – 21.1
imantação – 3.2
influência do * no corpo físico – 5.2
Leonardo Pires e densidade – 12.4
mente – 12.5
miniaturização – 29.2
modificação – 13.4
oxigênio, alimento – 5.2
padrão vibratório – 13.4
patogenia e estudos – 10.6
peso – 20.4, 26.2
princípios organogênicos
  e * de Júlio – 29.3
protoforma humana e * do
  selvagem – 21.3
qualidade superior e
  sutileza – 20.4, 21.3
remorso – 20.3
rudimentos da inteligência – 21.3
sobrevivência da enfermidade – 21.5
sublimação da mente e * sutil – 12.5

Índice geral

Pires, Leonardo
　Amaro reencarnado – 17.6
　Antonina, Mário Silva e
　　reencarnação – 39.4, 40.1
　avô de Antonina – 7.6
　consciência culpada – 7.7
　densidade do perispírito – 12.4
　envenenamento – 7.2, 17.1
　Gastão de Orléans, D., príncipe – 7.4
　Guerra do Paraguai – 7.4
　Guilherme Xavier de Souza,
　　marechal – 7.5
　José Esteves – 7.2, 7.5, 14.5, 20.3
　lembrança do crime – 7.7
　Lola Ibarruri – 7.2, 13.5, 14.2
　Mário Silva – 17.2
　ódio – 7.2
　perseguição – 7.3
　Polidoro, general – 7.2
　procura do sepulcro – 7.3
　transferência injusta – 7.2

Prece *ver* Oração

Princípio embriogênico
　reencarnação – 27.4, 28.5

Princípio organogênico
　animais – 29.3-29.4
　perispírito de Júlio – 29.3

Protoforma humana
　perispírito do selvagem – 21.3

Psicossoma *ver* Perispírito
　significado do termo – 12.4, nota

Puericultura
　enigmas – 10.5

Qualidade superior
　conquista da * e sutileza do
　　perispírito – 21.3

Reino espiritual
　princípios da herança – 1.2

Reencarnação
　choque biológico – 29.2
　conflito biológico – 10.4
　cuidados especiais e * de Júlio – 28.4
　fatalidade relativa – 2.2
　governo da própria – 29.5
　interferência nos cromossomos – 28.4
　Lei da * e concurso da amizade – 27.4
　obstáculos – 30.5
　patrimônios da alma – 10.6
　princípios embriogênicos – 27.4, 28.5
　programa na Espiritualidade – 10.3
　propósitos para realização – 28.5
　revivescência do pretérito
　　biológico – 29.3
　trabalho preparatório – 28.4
　transfusão fluídica – 29.2

Religião
　aceitação e prática – 11.5
　elemento separatista – 36.4

Remorso
　alimento da culpa – 14.1
　Mário Silva – 33.10, 34.3
　perispírito – 20.3
　Zulmira – 25.3, 34.2, 37.3

Reparação
　reajustamento e martírio – 10.6

Responsabilidade
　bem, mal – 1.3
　desencarnação de criança
　　e * dos pais – 10.3
　fuga – 10.4
　intenções, desejos – 4.4
　lei biológica e * de execução – 2.1
　princípio divino – 1.4

Sacrifício
　preço da felicidade – 25.2

Saudade
　lembrança e * mortal – 12.3

Índice geral

Sentimento de culpa
  considerações – 3.3

Serenidade
  melhor conselheira – 22.5

Sexo
  Odila e apego – 4.5

Silva, Mário, enfermeiro
  Amaro – 15.4, 16.3, 32.2
  complexo de culpa – 34.8
  complexo de fixação – 16.3
  culto evangélico – 31.6
  doação de sangue – 36.8
  enfermeira desencarnada – 34.4
  espíritos diabólicos – 34.4
  exercício do perdão – 31.5
  falta de humildade – 35.7
  fluidos deletérios – 32.5
  José Esteves reencarnado – 15.2
  Leonardo Pires, Lola Ibarruri – 19.4
  Minervina, mãe – 15.6
  ódio – 15.4, 16.2
  palavras de Antonina – 32.2
  perfil – 34.8
  perispírito condensado – 16.3
  reaproximação entre * e
    Antonina – 35.2
  reencarnação da alma – 35.5
  reminiscências da mocidade – 16.1
  sonho – 15.2
  Zulmira, noiva – 15.5, 32.1

Sistema nervoso
  maternidade e transformação – 30.4

Sofrimento
  conceito – 35.4

Sonho
  encontro de Amaro e Júlio – 33.5
  invocação – 16.2
  Mário Silva e descrição – 15.2

Sono
  acertos de contas – 15.5
  alma, imantação do coração – 15.6
  desdobramento – 14.5

Souza, Guilherme Xavier
  de, marechal
  Leonardo Pires – 7.6

Suicídio
  complexo de culpa – 20.3

Tálamo
  significado do termo – 17.4, nota

Templo do Socorro
  ministro Clarêncio – 1.1
  Odila – 181
  significado do termo – 1.1, nota

Terra
  paraíso, purgatório – 8.4
  viver na * com visões da
    vida eterna – 12.3

Trabalho
  benefício – 8.5
  renovação mental – 12.5

Veículo sutil *ver* Perispírito

Vida espiritual
  acordo de Amaro e Odila – 33.5
  atmosfera marinha – 5.2
  movimentação intensa – 5.1
  sofrimento de Júlio – 9.5

Vida eterna
  viver na Terra com visões – 12.3

Vida mental
  vida verdadeira – 16.2

Vida moral
  protoforma humana – 21.3

Índice geral

Vida superior
valores imprescindíveis – 21.2

Vida verdadeira
vida mental – 16.2

Vingança
inutilidade – 23.6

Volitação
Zulmira – 37.2

Vontade
densificação do perispírito – 7.1

Voz
delitos de tirania mental – 22.6
descarga elétrica regulada – 22.3
importância da* a serviço
 da palavra – 22.3

Zulmira
arrependimento – 4.3
complexo de culpa – 25.3, 34.2
comportamento – 3.2
comunhão fisiopsíquica
 de Júlio – 29.4
crise orgânica – 30.5
culpabilidade – 4.4
desdobramento – 4.1, 5.6
egoísmo – 3.2, 37.3
encontro de * com Júlio no
 Lar da Bênção – 27.6
imantação ao mal – 4.5
Lina Flores reencarnada – 19.3
madrasta de Evelina e Júlio – 2.3
mãe de Júlio reencarnado – 27.6
Mário Silva, noivo – 15.5, 19.4, 32.1
motivo da vampirização – 3.2
Odila – 3.3, 4.1, 5.4, 23.1
ódio, ciúme – 4.3
passe magnético – 3.5, 30.6
pensamentos sinistros – 4.3
reencarnação de Júlio – 30.6, 29.3
reminiscências – 4.2

remorso – 25.3, 34.2, 37.3
segunda esposa de Amaro – 2.3
supuração das amígdalas – 30.2
vibrações envenenadas – 4.5
visita de * ao Lar da Bênção
 – 27.5, 37.2, 39.1
volitação – 37.2

ENTRE A TERRA E O CÉU

EDIÇÃO	IMPRESSÃO	ANO	TIRAGEM	FORMATO
1	1	1954	10.000	12,5x17,5
2	1	1958	10.000	12,5x17,5
3	1	1960	10.000	12,5x17,5
4	1	1968	5.058	12,5x17,5
5	1	1972	20.000	12,5x17,5
6	1	1975	10.200	12,5x17,5
7	1	1980	10.200	12,5x17,5
8	1	1982	10.200	12,5x17,5
9	1	1983	10.200	12,5x17,5
10	1	1984	15.200	12,5x17,5
11	1	1986	20.200	12,5x17,5
12	1	1988	25.200	12,5x17,5
13	1	1990	25.000	12,5x17,5
14	1	1992	15.000	12,5x17,5
15	1	1993	20.000	12,5x17,5
16	1	1995	20.000	12,5x17,5
17	1	1997	25.000	12,5x17,5
18	1	2000	3.000	12,5x17,5
19	1	2001	5.000	12,5x17,5
20	1	2002	10.000	12,5x17,5
21	1	2003	5.000	12,5x17,5
22	1	2005	5.000	12,5x17,5
23	1	2005	7.000	12,5x17,5
24	1	2007	5.000	12,5x17,5
25	1	2007	10.000	12,5x17,5
25	2	2008	10.000	12,5x17,5
25	3	2010	10.000	12,5x17,5
25	4	2010	10.000	12,5x17,5
25	5	2012	6.000	12,5x17,5

EDIÇÃO	IMPRESSÃO	ANO	TIRAGEM	FORMATO
1	1	2003	5.000	14x21
2	1	2008	2.000	14x21
2	2	2010	2.000	14x21
2	3	2011	3.000	14x21

EDIÇÃO	IMPRESSÃO	ANO	TIRAGEM	FORMATO
27	1	2013	20.000	14x21
27	2	2015	6.000	14x21
27	3	2015	5.000	14x21
27	4	2016	5.000	14x21
27	5	2017	4.000	14x21
27	6	2017	5.500	14x21
27	7	2018	2.100	14X21
27	8	2018	3.000	14X21
27	9	2018	3.500	14X21
27	10	2019	2.600	14x21
27	11	2020	6.000	14x21
27	12	2021	5.000	14x21
27	13	2022	5.000	14x21
27	14	2024	3.000	14x21
27	15	2024	4.000	14x21
27	16	2025	3.000	14x21

FEB editora
Livro espírita para um novo mundo
www.febeditora.com.br
@febeditoraoficial
@febeditora

Conselho Editorial:
Carlos Roberto Campetti
Cirne Ferreira de Araújo
Evandro Noleto Bezerra
Geraldo Campetti Sobrinho – Coord. Editorial
Jorge Godinho Barreto Nery – Presidente
Maria de Lourdes Pereira de Oliveira
Miriam Lúcia Herrera Masotti Dusi

Produção Editorial:
Elizabete de Jesus Moreira

Revisão:
Elizabete de Jesus Moreira
Maria Flavia dos Reis
Perla Serafim

Capa:
Evelyn Yuri Furuta

Projeto Gráfico e Diagramação:
Rones José Silvano de Lima – instagram.com/bookebooks_designer

Foto de Capa:
http://www.istockphoto.com/ AVTG
http://www.istockphoto.com/ sololos
http://www.dreamstime.com/ Harlanov
http://www.dreamstime.com/ Serp

Foto Chico Xavier:
Grupo Espírita Emmanuel (GEEM)

Normalização Técnica:
Biblioteca de Obras Raras e Documentos Patrimoniais do Livro

Esta edição foi impressa pela Gráfica e Editora Qualytá Ltda., Brasília, DF, com tiragem de 3 mil exemplares, todos em formato fechado de 140x210 mm e com mancha de 104x168 mm. Os papéis utilizados foram o Off white bulk 58 g/m² para o miolo e o Cartão 250 g/m² para a capa. O texto principal foi composto em fonte Adobe Garamond Pro 12/15 e os títulos em Adobe Garamond Pro 28/30. Impresso no Brasil. *Presita en Brazilo.*